TURQUIE

Comment se servir de ce guide

Cet ouvrage de 192 pages recense les **sites** et les **monuments** les plus importantes de la Turquie, répartis en six régions. Loin d'être exhaustive, cette sélection vous permettra de bien tirer parti de votre séjour.

 Tous ces **sites** et **monuments** sont décrits de la page 35 à la page 146; ceux d'entre eux que nous vous recommandons en particulier sont signalés par le petit symbole Berlitz.

La section **Que voir** (p. 32) vous propose quelques itinéraires en fonction du temps dont vous disposez.

Parcourez **Faits et chiffres** (p. 15), **La Turquie et les Turcs** (p. 8), **Histoire** (p. 16) et **Repères chronologiques** (p. 30) pour avoir une idé générale de la Turquie. Dans **Que faire** (pp. 147–155), nous vous informons brièvement sur un certain nombre d'activitiés (sportives, culturelles, etc.). **Les plaisirs de la table** (pp. 156–159) vous inciteront a bien manger.

La **section cartographie**, en fin de volume (pp. 182–188), vous permettra de vous orienter en ville et de localiser les principaux sites et monuments dans le pays.

Un **index** (pp. 189–192), enfin, répertoire les points essentials de ce guide.

Printed in Switzerland by Weber S.A., Bienne.

4e édition (1994/1995)

SOMMAIRE

Photos de couverture: *Kas Harbour*; *Musée d'Ayia Sophia*
© Tony Stone Worldwide

Texte:	Nicholas Campbell et Catherine McLeod
Adaptation française:	Gérard Chaillon
Rédacteur:	Christophe J. Rickenbach
Maquette:	Doris Haldemann
Photographie:	Daniel Vittet pp. de couverture, 20, 23, 32, 36, 37, 40, 43, 45, 53, 55, 57, 60, 61, 63, 67, 71, 78, 79, 80, 83, 86–87, 151, 154, 158, 159; Spectrum Colour Library pp. 8 (droite), 11, 29, 97, 100, 119, 131, 135, 141, 146; Dominique Michellod pp. 8 (gauche), 48, 88, 130; Jean-françois Ponnaz pp. 9, 93, 116, 148, 150; Claude Huber pp. 13, 17, 110, 113, 143; PRISMA/Schuster GmbH pp. 24, 75, 104, 138, 144; PRISMA/Arim p. 90; Tom Brosnahan p. 105; Françoise Théâtre pp. 121, 122, 127.
Cartographie:	Falk-Verlag, Hambourg; M. Thommen pp. 6–7, 35, 73, 89, 107, 129, 136.

Nous remercions ici Muhammet Yoksuç, Ahmet Duru, Atillâ Türker Gökçen, Kâmil Özkan, Remzi Yildrim et Yüksel Yavuzes ainsi que le Ministère du tourisme de Turquie, en particulier Madame Zehra Sulupinar à Ankara et Madame Bilge Tamer à Zurich, pour leur aide précieuse dans la réalisation et la mise au point du présent guide. Notre reconnaissance va aussi à Pierre-André Dufaux et à Jacques Schmitt pour leur assistance.

Bien que l'exactitude des informations rassemblées dans le présent guide ait été soigneusement vérifiée, elle n'en est pas moins subordonée à des fluctuations temporelles. Aussi ne saurions-nous assumer de responsibilité pour des modifications de faits, d'adresses, de prix et d'autres éléments sujets à variations. Nos guides étant remis ä jour régulièrement, nous examinons volontiers toutes les remarques dont nos lecteurs voudraient bien nous faire part.

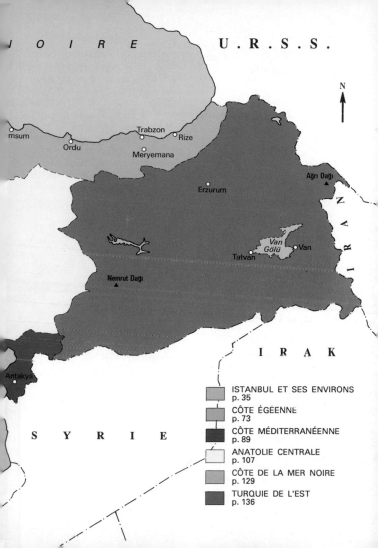

LA TURQUIE ET LES TURCS

La Turquie, univers complexe et haut en couleur, n'est pas sans évoquer quelque tapis d'Orient. Ce sont le mythe et la légende qui, interférant avec l'histoire de six civilisations majeures, ont tissé la trame du pays… Pour avoir connu au fil des siècles l'opulence et la décadence, la Turquie représente le lieu où se sont opposées l'influence de l'Orient et celle de l'Occident.

Siège de l'Empire byzantin un bon millénaire durant, Constantinople devait, en basculant dans l'islam, former le noyau de l'Empire ottoman, lequel, à son apogée, allait engloutir le flanc oriental de l'Erope, jusqu'aux portes de Vienne, ainsi qu'une bonne partie

de l'Afrique du Nord et du Proche-Orient.

Deux détroits très resserrés, les Dardanelles et le Bosphore, séparent la Turquie d'Asie, la massive Anatolie, de la Thrace, modeste vestige des possessions turques en Europe. Trait d'union entre deux continents, Istanbul illustre la double personnalité du pays: la ville, battue par le flux et le reflux de forces puissantes, grouille de vie.

Une promenade dans telle rue commerçante, si élégante, ou une soirée mondaine dans tel restaurant au bord de l'eau vous convaincra que vous êtes bien en Occident. Mais lorsque vous voyez les foules sur le pont de Galata, que vous vous

La Turquie vous offre la chaleur de ses sourires et l'étrange beauté de ses paysages.

plongez dans le brouhaha et les senteurs du Marché aux Epices ou dans l'atmosphère paisible d'une grande mosquée, vous ressentez les pulsations de l'Orient.

Héritier de Byzance, devenue elle-même la Nouvelle Rome puis Constantinople, Istanbul est demeuré capitale de la Turquie jusqu'au transfert du siège du gouvernement à Ankara, dans les années 20. La nouvelle capitale, elle, s'étale dans une oasis, au milieu des steppes de l'Anatolie.

Le plateau anatolien s'étend à l'est jusqu'à la Russie et l'Iran, au sud-est jusqu'à la Syrie et l'Iraq. Il est frangé sur trois côtés par un ruban de terres arables qui bordent 8000 kilomètres de rivages verdoyants: la Turquie, en effet, est baignée par les mers Noire, Marmara, Egée et la Méditerranée.

Le pays se targue de l'inimaginable richesse de son passé. L'une des villes les plus anciennes du monde, Çatalhüyük, près de Konya, ne fut-elle pas bâtie il y a près de dix millénaires? Plus près de nous, les Hittites s'installèrent dans le bassin du Kizilirmak, le fleuve Rouge, apportant avec eux une société organisée en classes, dotée d'un code civil et d'une monarchie puissante.

Au XIIᵉ siècle av. J.-C., ils furent pourtant contraints de se réfugier dans les montagnes quand les «Peuples de la Mer», venus de Grèce, établirent des comptoirs sur les côtes d'Anatolie. D'autres Grecs allaient suivre: Eoliens, Ioniens, puis Doriens. Ces derniers, fondateurs d'une quantité de cités illustres – ainsi Ephèse, Milet, Aphrodisias, Didymes –, devaient également bâtir Troie. C'est là, selon *L'Iliade* d'Homère, que de bouillants guerriers comme Hector, Achille et Ajax trouvèrent la mort et que l'habile Ulysse imagina son cheval de bois, stratagème qui mit fin au siège de la ville, lequel durait depuis dix ans. Si certains historiens attribuent à la guerre de Troie des causes économiques, il n'est guère de visiteurs qui, parmi les fleurs sauvages et les fragments de marbre épars, n'évoquent l'image d'Hélène, dont les charmes auraient semé la discorde entre les dieux et les hommes.

Les récits relatifs à tant d'autres héros mêlent également l'histoire et la légende. Jason et les Argonautes, à la recherche de la Toison d'or, remontèrent à la rame les courants pleins de traîtrises du Bosphore. Midas, le roi Midas, changeait en or tout ce qu'il touchait, jusqu'au jour où il se baigna dans le Pactole, près de

Konya: sous ce dôme conique repose le mystique Mevlana.

Sardes, et Crésus, jouant les or-pailleurs dans la même rivière, amassa de fabuleuses richesses. Alexandre le Grand chassa les Perses des cités littorales, avant qu'elles ne tombent sous le joug de Rome. Puis l'apôtre Paul visita les rivages méridionaux du pays, en 47 de notre ère.

Pivot de l'Empire byzantin, la «Turquie» devait prospérer, tandis qu'à l'ouest l'Empire romain décli-nait. Les croisés aidant, les Byzan-tins parvinrent à repousser les assaillants attirés par leurs richess-es – jusqu'en 1453, date de la prise de Constantinople par l'Ottoman Mehmet II. Il s'ensuivit une ère de splendeur architecturale: aux églises succédèrent les mosquées.

On a du mal à croire qu'en 1922, année où la Turquie moderne allait pourtant émerger, un sultan présidait encore aux destinées du pays! Partout, durant votre séjour, vous remarquerez des portraits de l'homme auquel la Turquie d'au-jourd'hui doit tout: Mustafa Kemal, devenu «Atatürk» en 1935. Preuve de l'indéfectible affection de tout un peuple, de tels portraits trônent dans les magasins, les restaurants et même les foyers turcs.

Atatürk mena ses réformes avec fermeté, diligence et simplicité. Ainsi, alors qu'on lui affirmait qu'il faudrait sept années pour substituer l'alphabet latin à l'écriture arabe, il

en imposa l'usage dans les écoles et les journaux en sept semaines.

Fait significatif, les Turques vouent une dévotion particulière à celui qui s'attacha à relever leur statut. La polygamie fut abolie et, pour la première fois, un di-vorce prononcé à la demande de l'épouse. En outre, les femmes ob-tinrent le droit de vote sur le plan national, et les premières députées firent leur entrée au Parlement.

Au fin fond de l'Anatolie, le vent des réformes n'a pas balayé les vieilles traditions.

Plus de la moitié des 51 millions d'habitants que compte le pays vivent dans les régions rurales, cultivant arbres fruitiers, légumes ou tabac, ou pratiquant la céréaliculture et l'élevage extensif. En dépit – ou en conséquence – d'un taux de chômage qui frise les 17%, les Turcs apprennent à se débrouiller dès leur plus jeune âge. C'est ainsi qu'à des lieues de la civilisation, le long des routes de montagne, de petits enfants guettent les voitures, au passage desquelles ils brandissent des piles de plateaux pleins de fruits magnifiques. Dans les villes, des cireurs s'acharnent allègrement sur vos souliers. Des enfants proposent

13

sur d'immenses plateaux en aluminium des anneaux de graines de sésame, apportent le thé ou le café que les boutiquiers offrent à leurs clients potentiels; et d'autres concurrencent les guides assermentés.

Quelque 2,3 millions de Turcs (soit plus de 4% de la population totale) vivent à l'étranger. Ces émigrés, en majorité, travaillent en Allemagne de l'Ouest, escomptant revenir le plus tôt possible au pays afin d'y ouvrir un commerce. Phénomène qui ne résout pas la crise d'identité dont souffre la Turquie, tiraillée entre l'Orient et l'Occident, mais qui atténue le problème de l'emploi et représente, assurément, une manne pour l'économie.

Cependant, la Turquie a trouvé dans le tourisme une nouvelle source de revenus, et pas seulement parce qu'elle offre des plages, des mers bleues, un climat chaud et un incontestable intérêt historique. Elle possède en effet un atout supplémentaire: des prix bas. Pour répondre aux besoins d'un nombre croissant d'estivants, les stations pullulent tout le long des côtes de la mer Egée et de la Méditerranée. Le Ministère de la culture et du tourisme prévoit d'ailleurs d'accroître la capacité d'hébergement de ces deux régions, et les capitaux étrangers affluent. La mer Noire ne manque pas non plus de plages, souvent encadrées par des baies tranquilles que le tourisme n'a pas encore touchées.

Les hôtels du littoral servent de la cuisine traditionnelle, et des odeurs appétissantes flottent dans les rues. Si vous vous aventurez dans l'intérieur, vous trouverez bien quelque *lokanta* de village qui vous réservera une ou deux (bonnes) surprises gastronomiques. La nourriture, sans prétention, s'avère en général saine et très bon marché.

Comme le tourisme est un phénomène relativement nouveau, les Turcs manifestent envers les étrangers un intérêt débordant. Le long des routes, par exemple, les enfants vous feront signe et, en ville, les passants s'arrêteront pour vous observer avec curiosité, sans intention aucune de vous importuner. Hésitez-vous sur le chemin à suivre? une dizaine de personnes se «disputeront» la faveur de vous aider et s'évertueront à vous répondre en anglais, sinon en français. Même si ces gens, pour la plupart, ne comprennent pas ce que vous dites, ne leur faites pas grief d'une cordialité, d'une spontanéité innées. L'hospitalité, en ce pays, n'est pas un vain mot!

Enfin, si le XXe siècle s'achève, si les harems et les femmes voilées ne sont que souvenirs, la magie de l'Orient, elle, n'en reste pas moins agissante…

FAITS ET CHIFFRES

Géographie: La Turquie couvre 779 452 km^2 (France: 550 000 km environ), dont l'essentiel en Asie et environ 3% en Europe. Ces deux régions sont séparées par la mer de Marmara, qui communique, à l'est, avec la mer Noire et, à l'ouest, avec la mer Egée. Le pays s'étend sur 1565 km^2 d'ouest en est et sur 650 km du nord au sud; il est encadré par la mer Noire au nord, par la mer Egée à l'ouest, enfin par la Méditerranée au sud.

Le territoire a pour point culminant le mont Ararat (5165 m) et pour principal fleuve le Kızılırmak (1355 km).

Population: 55 541 000 habitants. Villes les plus importantes: Ankara, la capitale, 2 737 000 hab.; Istanbul, 5 561 000 hab.; Izmir (Smyrne), 1 801 000 hab.; Adana, 1 142 000 hab.; Bursa (Brousse), 840 000 habitants.

Gouvernement: Système monocaméraliste avec une Grande Assemblée nationale, forte de 400 députés élus pour cinq ans au suffrage universel; l'exécutif est dans les mains d'un président désigné pour sept ans par le Parlement et non rééligible. Une clause inscrite dans la Constitution de 1982 a confirmé la présence à la tête de l'Etat du chef du Conseil national de sécurité, qui s'était emparé du pouvoir en 1980 à la faveur d'un coup d'Etat.

Economie: L'accent est mis à la fois sur l'industrie et l'agriculture. Principales exportations: textiles, tabac, appareils électroménagers, coton, céréales et légumineuses, fruits. Tourisme.

Religion: On compte quelque 99% de musulmans; néanmoins, la Turquie étant un pays laïc, l'islam ne jouit pas du statut de religion officielle.

Langue: Le turc. L'anglais, qui a partout supplanté le français, est largement parlé dans les régions touristiques.

HISTOIRE

Si la Turquie, en tant que République, n'est entrée somme toute qu'assez récemment dans le «concert des nations», son histoire n'en remonte pas moins à l'aube de l'humanité. On sait que, rattachée à l'Europe pour 3% de son territoire actuel, elle appartient pour le reste à l'Asie. Son importance comme trait d'union entre l'Orient et l'Occident ne date pas d'hier: elle doit à sa situation d'avoir toujours joué ce rôle.

Des outils de l'âge de la pierre l'attestent, l'Anatolie était déjà peuplée au paléolithique moyen (entre 100 000 et 40 000 ans av. J.-C.). Des millénaires plus tard – il y a quelque 5000 ans –, l'âge du bronze prit naissance dans la vallée du Nil et en Mésopotamie. Des tombes royales découvertes en Anatolie renfermaient ainsi des objets en bronze du IIIe millénaire avant notre ère.

C'est vers cette époque que les Sumériens, en Mésopotamie, accomplirent le passage des pictogrammes au cunéiforme. Des négociants assyriens introduisirent le même progrès un millénaire plus tard en Anatolie, région dont les autochtones, les Hattis (ou Proto-Hittites), avaient atteint un niveau intellectuel élevé.

16

Les Hittites

La plus prospère de toutes les colonies assyriennes était Kanèsh, aujourd'hui Kültepe (près de Kayseri), l'un des tout premiers sites archéologiques du pays. Les «tablettes cappadociennes» provenant de ce site prouvent que les Hittites commencèrent vers 1500 av. J.-C. à s'établir dans la contrée. L'origine de ce peuple demeure mystérieuse

(le hittite ne fut déchiffré qu'en 1915); on sait néanmoins qu'il venait du Caucase et que, dès 1300, il était solidement implanté en Anatolie.

La domination hittite se divise en trois périodes: l'Ancien Empire (v. 1600–1450), le Nouvel Empire (1450–1200) et ce qu'on pourrait appeler les «Royaumes néohittites» (1200–700). Une première capitale s'éleva à Hattuşaş (aujourd'hui Boğazköy), à l'est d'Ankara. Elle se dota de vastes fortifications, de temples ainsi que d'une citadelle qui abritait une imposante bibliothèque.

Sanctuaire néohittite près de Boğazköy: de fiers guerriers en route pour l'éternité.

Au cours de la période cruciale que fut le Nouvel Empire, un souverain énergique du nom de Mouwatalli défit les forces du pharaon Ramsès II à Kadesh, vers 1288. Trop fier pour s'avouer vaincu, Ramsès ne voulut jamais admettre sa défaite, mais il avait suffisamment conscience de la puissance des Hittites pour rechercher une entente avec le roi suivant, Hattousili III. Jusque vers 1200, Hittites et Egyptiens exercèrent un pouvoir comparable et incontesté.

L'Empire hittite prit cependant fin avec l'arrivée des Phrygiens et des Achéens – les «Peuples de la Mer» –, qui repoussèrent les Hittites dans les montagnes du Sud; ces derniers y demeurèrent jusqu'au moment où les Assyriens rentrèrent en scène à leur tour.

De Troie à la Dodécapole

Entre-temps, la Côte égéenne, loin de là, avait été le théâtre d'autres événements. Les anciens Grecs, traditionnellement, fixaient le début de leur histoire à la chute de Troie. Si de vives polémiques se sont engagées quant à l'époque exacte où se déroula la guerre de Troie, les spécialistes s'accordent en général à penser que l'antique cité fut détruite vers 1260.

Occupant une position stratégique au-dessus de l'Hellespont – aujourd'hui les Dardanelles –, neuf villes de Troie ont connu successivement la grandeur et la décadence (chacune s'implantant sur les ruines de la précédente). Il ne fait aucun doute que la guerre de Troie ait eu lieu, mais on ne sait pas au juste laquelle d'entre les cités superposées en question en aurait été le théâtre, les archéologues hésitant entre les niveaux Troie VIIa et Troie VI. Selon *L'lliade* et *L'Odyssée* du vieil Homère, Troie est une cité opulente et bien organisée, gouvernée par Priam, un roi sage et pacifique.

En moins d'un siècle, les Mycéniens, qui avaient conquis la cité de Priam, assistèrent au déclin de leur propre civilisation, après la destruction de Mycènes par les Doriens. Ce peuple, s'il n'envahit peut-être pas le sud de la Grèce, y assit sa domination, ce qui poussa de nombreux Hellènes à fuir en direction de la côte d'Anatolie. Cette émigration se fit par vagues successives: les Eoliens partirent les premiers, gagnant, au nord de l'antique Smyrne, la région littorale à laquelle ils donnèrent leur nom (Eolie ou Eolide), puis les Ioniens s'établirent plus au sud. Plus tard vinrent les Doriens, qui, eux, s'installèrent au sud du Méandre.

La Grèce continentale entra alors dans une ère de ténèbres, peu propice aux grands desseins. A l'inverse, l'Ionie connaissait une remarquable éclosion culturelle. Avant 800, les douze principales cités ioniennes s'allièrent pour former une ligue, la Dodécapole, dont Smyrne allait devenir le… treizième membre. Non que l'entente fût parfaite: les cités ne cessaient de se quereller, mais elles vivaient bien et plusieurs fondèrent des colonies.

Riche comme Crésus

Dans l'intérieur vivaient les Lydiens, qui, migrant vers l'ouest en direction de la Côte égéenne, établirent leur capitale à Sardes. Crésus, le plus célèbre des rois de Lydie, devait ses légendaires richesses aux paillettes d'or que charriait le Pactole… Hélas pour ce souverain, ses ambitions l'entraînèrent jusqu'en Perse, où il fut rapidement vaincu. Refoulé jusqu'à Sardes, Crésus ne put qu'assister au sac de sa ville par Cyrus le Grand, en 546.

La Lydie une fois conquise, les cités grecques du littoral se trouvaient à la merci des Perses; de fait, ceux-ci ne tardèrent pas à adjoindre l'Ionie à leur empire (494). Le roi achéménide Darius tourna alors son attention vers la Grèce continentale. En 490 débutèrent les guerres médiques. La même année, Darius fut défait à Marathon, puis, en 480, son fils Xerxès vit sa flotte dispersée à Salamine. Un an plus tard, l'armée du même Xerxès était écrasée à Platées, et sa flotte anéantie près du cap Mycale.

Les cités côtières furent bientôt invitées à se grouper au sein d'une confédération, la Ligue de Délos, tout en payant un tribut à Athènes en échange de sa protection contre les Perses. Athènes devint si attaché à cette facile source de revenus que tous les appels en vue de la suppression de cette convention restèrent vains. Ce fut Sparte qui, en fin de compte, ôta à sa rivale le bénéfice de cette si lucrative confédération, à l'issue de la guerre du Péloponnèse (431–404). Les Perses, aux aguets, conscients de l'affaiblissement des Grecs, se lancèrent à nouveau à l'attaque et les cités helléniques de la Côte égéenne finirent par tomber entre leurs mains.

Le rêve d'Alexandre

Mais un nouvel astre se levait à l'horizon de la Grèce continentale: la Macédoine, dans l'extrême Nord, dont le roi Philippe II ambitionnait d'unifier le monde grec. Ses rêves les plus chimériques furent réalisés après sa mort par son fils, Alexandre le Grand, au cours d'une vie des plus brèves puisqu'il allait mourir à 33 ans. Dès 334, Alexandre, alors âgé de 22 ans, franchit l'Hellespont. Après avoir conquis la Côte égéenne, la

19

ΑΡΕΤΗ
ΚΕΛΣΟΥ

Syrie et l'Egypte, il occupa Persépolis, capitale de la Perse, puis arriva jusqu'en Inde.

Alexandre rêvait d'un empire universel. Mais son rêve s'évanouit. A sa mort, en 323, ses conquêtes furent partagées entre plusieurs de ses généraux, dont l'antagonisme et les visées expansionnistes finirent par rendre leurs possessions vulnérables aux incursions des Romains.

Entrée en scène des Romains

La plus remarquable des cités côtières était Pergame, où régnait la dynastie des Attalides, dont le dernier roi, Attale III, est entré dans l'histoire avec la réputation d'un personnage aussi cruel que bizarre. La mesure exacte de son excentricité n'apparut clairement qu'à sa mort, survenue en 133, à l'occasion de laquelle les Pergaméens apprirent avec consternation qu'il avait légué son royaume aux Romains! Ainsi Pergame devint-elle la capitale d'une nouvelle province romaine, l'«Asie». Mithridate VI, roi du Pont (sur le Pont-Euxin, appelé à présent mer Noire), tenta de s'opposer à l'occupation du pays. Cependant, après

La Bibliothèque de Celsus, à Ephèse, illustre l'art des bâtisseurs romains.

de multiples campagnes, les légions finirent par triompher.

En 27 av. J.-C., Octave prit le titre et le nom d'«Auguste»; Rome cessait d'être une république pour devenir un empire. Il s'ensuivit une longue période de calme et de prospérité, la *Pax romana* (Paix romaine). Toute l'Asie Mineure se trouvait désormais englobée dans l'Empire romain. Les anciennes cités grecques furent dotées d'édifices romains souvent grandioses.

Bien des problèmes allaient surgir avec l'apparition d'une religion nouvelle. Le christianisme représenta vite une menace pour Rome parce qu'il rejetait la sainteté des dieux officiels et de l'empereur. Les voyages de l'apôtre Paul, de 40 à 56 de notre ère, dévoilèrent quelque peu le mystère qui avait fait paraître cette religion monothéiste dangereuse aux yeux des tenants des institutions. Au cours de ses pérégrinations, Paul fonda diverses communautés, notamment les sept Eglises d'Asie, auxquelles saint Jean s'adressera dans l'*Apocalypse*: Ephèse, Smyrne, Pergame, Thyatire, Sardes, Philadelphie et Laodicée.

De Byzance à Constantinople

Cependant, une ville déjà ancienne – elle aurait été fondée dès 660 av. J.-C. par un certain Byzas –, Byzance, prospérait à l'époque sur les rives du Bosphore et de la Corne d'Or. Comme les autres cités du littoral, Byzance avait eu à subir tour à tour la loi d'Athènes, de Sparte, de la Perse et d'Alexandre le Grand. Elle tenta de préserver son indépendance face aux Romains, les nouveaux maîtres du monde, mais fut conquise par l'empereur Septime Sévère en 196 apr. J.-C. Après avoir dûment châtié les Byzantins, celui-ci entreprit de rebâtir la ville, dont il fit étendre et renforcer les murailles antiques.

Une succession de souverains incapables entraîna graduellement le déclin de l'Empire romain. En 293, Dioclétien crut le raffermir en associant un second empereur au pouvoir. Lui-même devint empereur d'Orient, cependant que l'Occident était gouverné par Maximien. Jouissant déjà d'une certaine renommée, Byzance se posa naturellement en capitale de l'Empire oriental. Toutefois, après l'abdication de Dioclétien et de Maximien en 305, l'Empire continua de s'affaiblir.

Pendant un certain temps, les nouveaux souverains, Constantin et Licinius, régnèrent en parfaite harmonie, puis leurs relations se détériorèrent. En 324, Constantin, qui défendait le christianisme, vainquit son ancien allié païen et restaura l'unité impériale à son profit. Il se mit aussitôt à bâtir une nouvelle capitale sur le site de Byzance. Dénommée successivement *Secunda Roma*, puis bientôt *Nova Roma*, et enfin Constantinople, cette capitale fut inaugurée en grande pompe en 330 (date souvent retenue pour la fondation de l'Empire byzantin, ou Empire romain d'Orient, encore que le partage de l'Empire romain n'ait été rendu effectif qu'en 395, à la mort de Théodose). Constantin développa les murailles de sa ville, dont l'enceinte englobait sept collines, réminiscence des sept collines de Rome.

Dans toute la chrétienté, Constantinople acquit une suprématie qu'elle allait conserver durant un millénaire encore après la prise de Rome, en l'an 476, par le roi barbare Odoacre. Prééminence lourde toutefois de difficultés, car la ville se trouvait sous la constante menace d'une invasion, tout en étant agitée par d'interminables querelles politico-religieuses.

L'Empire byzantin (330–1453) connut ses plus belles heures au VIᵉ siècle, sous Justinien Iᵉʳ, dont le règne produisit un système juridique digne de louange, le fameux *Code justinien*, et vit l'Empire

Saint-Sauveur-in-Chora: d'émouvantes mosaïques à la gloire du Christ.

s'étendre à l'Espagne, à l'Italie et à l'Afrique du Nord. La création artistique fut encouragée, s'illustrant par la production de manuscrits richement enluminés, et, dans le cadre d'un vaste programme de construction, on édifia la Basilique Sainte-Sophie.

Après la mort du prophète Mahomet en 632, l'irrésistible expansion arabe entraîna la création d'un Empire islamique. La Syrie, Jéru-

Justinien, saisissant l'intérêt de Sumela sur le plan stratégique, fit fortifier le site.

salem et l'Egypte furent rapidement enlevés aux Byzantins. Constantinople affronta de sérieuses menaces de 674 à 678; assiégée par les Arabes, elle résista cependant grâce à ses murailles. L'Empire byzantin, dépouillé encore de l'Afrique du Nord et de l'Italie, connut par la suite un nouvel âge d'or sous Basile 1er (867–886).

En 1071, les Turcs Seldjoukides, originaires d'Asie centrale, firent leur entrée en Asie Mineure orientale après avoir écrasé et fait prisonnier le *basileus* (l'empereur byzantin) Romain IV Diogène à Mantzikert (auj. Malazgirt). Ils entreprirent dès lors de chasser les Byzantins d'Anatolie en avançant toujours plus vers l'ouest, tandis que vers la même époque les Normands occupaient Naples et la Sicile. L'Empire se désagrégeait lentement…

Bien que les Eglises grecque et romaine se fussent séparées, la chrétienté occidentale se rangea aux côtés de Byzance quand il fallut s'opposer à des «infidèles» tels que les Seldjoukides, qui, islamisés au Xe siècle, étaient farouchement attachés à leur nouvelle religion. Or ceux ci envahissaient l'Anatolie et menaçaient les Lieux saints.

La première croisade eut pour objet d'aider les Byzantins à reprendre la Terre sainte aux musulmans; elle se termina par la victoire des croisés. Au cours des deuxième et troisième croisades, toutefois, les chrétiens subirent une écrasante défaite. La quatrième «expédition», entreprise en 1202 mais détournée de son but par les Vénitiens, jaloux des succès marchands de Byzance, en vint à être dirigée contre Constantinople, qui fut froidement mise à sac par d'autres chrétiens. Sans vergogne, les croisés gouvernèrent de 1204 à 1261 l'essentiel de l'Empire byzantin, rebaptisé «Romanie» ou «Empire latin d'Orient». La dynastie des Lascaris de Nicée (Iznik) – situé de l'autre côté du Bosphore, non loin de Constantinople, l'Empire de Nicée était un vestige de l'Empire byzantin – aida la ville saccagée à se relever en 1261. Mais une ère avait pris fin…

Mehmet le Conquérant

Au début du XVe siècle, les Turcs Ottomans, suppléant les Seldjoukides, auxquels ils étaient apparentés, contrôlaient l'ensemble de l'Anatolie, ayant même pénétré en Thrace. Cependant, Constantinople leur échappait encore. En 1330, Nicée avait été conquise par Orhan, deuxième sultan ottoman. La capitale turque, d'abord établie non loin, à Bursa (Brousse), fut ensuite transférée à Edirne, l'ancienne Andrinople, en Thrace. Le *basileus* Manuel II (1391–1425) tenta d'endiguer la marche des événements en autorisant les Turcs à occuper un quartier de Constantinople et en cherchant à se les concilier par un don en florins d'or, mais en vain. En 1452, un jeune sultan ottoman, Mehmet II, entreprit de bloquer les accès de la ville tant convoitée, afin d'empêcher la venue d'éventuels renforts.

Les Byzantins, eux, s'efforcèrent de protéger la Corne d'Or en tendant au travers une énorme chaîne en fer. Avec l'énergie du désespoir, ils renforcèrent leurs murailles et se préparèrent avec crainte à l'inéluctable. Sur le plan naval, les Turcs esquivèrent habilement le stratagème constitué par la chaîne de la Corne d'Or en halant leurs navires sur des rouleaux, par voie de terre, avant de les rassembler pour former un pont à l'usage de leurs soldats. Enfin, le 29 mai 1453, l'ultime assaut fut donné. Le dernier empereur byzantin, Constantin XI, trouva la mort au combat et, dès midi, Mehmet était maître de la ville. Son premier geste fut de se rendre à Sainte-Sophie pour y prier et proclamer que la basilique serait désormais une mosquée. Ayant octroyé à ses hommes trois jours de franc pillage, le sultan restaura l'ordre, agissant avec autant de clémence que de bon sens. Il reçut le surnom de «Fatih» – le Conquérant –, et sa nouvelle capitale fut appelée Istanbul.

Grandeur et décadence

L'empire de Mehmet englobait, outre l'Anatolie, la plus grande partie de la Grèce et le sud des Balkans. Sous Selim Ier, petit-fils du Conquérant, l'expansion se poursuivit.

La période la plus brillante allait coïncider avec le règne du successeur de Selim, Soliman II (1520–1566), le plus grand de tous les sultans, surnommé «le Législateur» par ses compatriotes et «le Magnifique» par les Occidentaux. Son règne s'est illustré par une prodigieuse floraison culturelle, marquée par la construction de splendides mosquées, dues au talent du fameux Sinan.

L'armée de Soliman s'empara de Belgrade en 1521. Huit ans plus tard, elle pénétrait en Autriche afin de mettre le siège devant Vienne, mais le levait au bout de vingt-quatre jours, avant d'envahir la majeure partie de la Hongrie. Rhodes, entre-temps, était tombé en 1522, tandis que les pirates barbaresques, dont le sinistre Barberousse, aidaient les Ottomans à s'implanter sur une partie du littoral nord-africain.

Au milieu du XVIIe siècle, l'Empire ottoman atteignit sa plus grande extension. Vaste, il l'était en effet, ses frontières courant à l'époque de Batoumi, à l'extrémité orientale de la mer Noire, à Bassora, aujourd'hui en Iraq; plus au sud, une bande le long de la mer Rouge comprenait Médine et La Mecque. L'Egypte était également aux mains des Ottomans, de même que toute la côte orientale de la Méditerranée, Chypre y compris. La Grèce était déjà une possession de vieille date. Au nord, l'Empire englobait la Crimée et la région de la mer d'Azov. La décomposition d'un corps aussi hétérogène était inévitable. Le processus allait s'avérer long et pénible, suscitant maints problèmes.

Entre autres difficultés internes, il fallut faire face à la mutinerie des *Yeniçeri*, les janissaires. Ce corps de fantassins, composé à l'origine de prisonniers de guerre, comporta par la suite de jeunes chrétiens arrachés – tel Sinan lui-même – à leur famille et convertis à la foi musulmane. (On suppléa peu à peu à ce genre de conscription en enrôlant un nombre croissant d'aventuriers d'origines diverses.) La puissance de ces janissaires, craints et détestés dans tout le pays, devint telle qu'ils régnaient pratiquement sur le sultanat. Ils devaient être massacrés en 1826.

L'«homme malade»

L'année 1821 marqua le début de la guerre pour l'indépendance de la Grèce, qui fut acquise une onze ans plus tard. Les tentatives de réformes au sein de l'Empire ottoman en pleine décadence avaient trop tardé. De toute façon, ces réformes, quoique sincères, furent interrompues par la guerre de Crimée, au cours de laquelle la France et la Grande-Bretagne soutinrent la Turquie contre la Russie. En 1876, le gouvernement était en proie à d'inextricables problèmes financiers. Le sultan d'alors, Abdülhamid II, prétendait en revenir à l'absolutisme dans un pays dont la population se composait de groupes animés par une hostilité réciproque. La Turquie était bien l'«homme malade de l'Europe»…

Or de jeunes officiers et des membres des professions libérales s'intéressaient de plus en plus aux idées occidentales. Des institutions comme Galatasaray, le lycée français d'Istanbul, faisaient connaître à des jeunes gens intelligents les idéaux de la démocratie. Ces nouveaux intellectuels constituèrent le groupe des Jeunes-Turcs. Leur mouvement fut d'abord clandestin; son centre était à Salonique, en Macédoine, et c'est de là que partit finalement la révolution. Abdülhamid fut déposé en 1909 et remplacé par son frère, Mehmet V.

Bientôt éclatèrent les guerres balkaniques (1912–1913), à l'issue desquelles l'Empire ottoman perdit la Macédoine et la Thrace occidentale, puis la Première Guerre mondiale, à laquelle la Turquie participa aux côtés de l'Allemagne et de l'Autriche. En 1915, l'expédition franco-britannique des Dardanelles ne parvint pas à forcer les

27

Détroits et elle échoua devant la résistance turque à Gallipoli.

La guerre terminée, le pays fut contraint de signer le Traité de Sèvres (1920), qui officialisait le démembrement de l'Empire ottoman. La Grèce se vit octroyer d'importantes concessions, tandis que l'Arménie aurait dû obtenir son indépendance; les Alliés, eux, se firent accorder le droit d'occuper les restes du territoire turc.

La période suivante, marquée par de graves problèmes (dissensions avec les Grecs et les Arméniens établis en Anatolie, difficultés avec les puissances de l'Entente), devait être dominée par la grande figure de Mustafa Kemal. Celui-ci, qui s'était illustré aux Dardanelles, s'éleva jusqu'à devenir le chef charismatique du nationalisme turc. De 1919 à 1922, il mena la guerre gréco-turque, qui aboutit à la défaite des Grecs et à leur retrait d'Asie Mineure. Dès 1920, il avait été désigné par la toute nouvelle Assemblée nationale comme président du Conseil. A ce titre, il allait avoir la rude tâche d'abolir le sultanat, opération délicate à laquelle Kemal s'attaqua avec détermination.

Le 10 novembre 1922, le dernier sultan s'éclipsa de son palais pour s'embarquer à bord d'un navire de guerre britannique. Un calife fut alors nommé chef religieux, avec des pouvoirs rigoureusement délimités par la législation séculière turque, mais sa charge fut abolie dès 1924.

Un Etat moderne

En 1923, le Traité de Lausanne définit la souveraineté et les frontières de la Turquie moderne. Celle-ci et la Grèce procédèrent à l'échange de leurs ressortissants expatriés, mouvement de population qui concerna des milliers de gens. La décennie 1925–1935 vit la mise en œuvre de réformes retentissantes. Mustafa Kemal – qui allait prendre le patronyme d'*Atatürk*, «Père de tous les Turcs» – entreprit de laïciser les institutions, d'adapter l'alphabet latin à la langue turque, d'émanciper les femmes, de modifier le calendrier, d'élaborer un nouveau code pénal, d'améliorer l'agriculture et l'industrie. Confiant dans la démocratie de type occidental, il a ainsi œuvré pour élever son pays au rang d'Etat moderne. A sa mort, en 1938, ses compatriotes se pressèrent par milliers le long de la voie pour saluer le train blanc qui amenait sa dépouille à Ankara.

La Turquie resta neutre durant la Seconde Guerre mondiale. Le Parti démocratique, porté au pouvoir en 1950, s'y maintint jusqu'en 1960. Confronté à des difficultés d'ordre social et économique toujours grandissantes, le gouvernement fut renversé par l'armée, puis une nouvelle Constitution fut approuvée par référendum en 1961. Cependant, l'agitation sociale allait entraîner un second coup d'Etat militaire en septembre 1980. Une autre Constitution fut rédigée, tandis qu'une nouvelle législation relative aux partis politiques et aux élections était élaborée. C'est en 1982 qu'une forme de démocratie a été mise en place. Depuis, le gouvernement s'est attaché à faire de la Turquie un pays industrialisé à l'occidentale. En 1987 la Turquie a demandé à devenir membre de la C.E.

Mainte villégiature en vogue a pour lointain ancêtre un port fondé par les Anciens.

REPÈRES CHRONOLOGIQUES

Préhistoire	7000 av. J.-C.	Fondation de la première ville connue à Çatalhüyük.
Les Hittites	1900	Installation des Hittites, qui établissent leur capitale à Hattuşaş (auj. Boğazköy).
	1200	L'invasion achéenne et phrygienne débouche sur la guerre de Troie. Les Hittites se replient dans l'intérieur; chute de Hattuşaş.
Grecs et Perses	1050	Eoliens, Ioniens, puis Doriens colonisent la côte.
	546	Le dernier roi de Lydie, Crésus, est défait par Cyrus II le Grand. Les Perses s'emparent des cités grecques du littoral égéen.
	334	Alexandre le Grand conquiert la Perse et l'Asie Mineure.
	330–130	De grandes cités – Pergame, Ephèse – prospèrent. Pergame est léguée aux Romains.
Les Romains	129	Pergame, capitale de l'Asie.
	27 av. J.-C.	Naissance de l'Empire romain; celui-ci incorpore toute l'Asie Mineure.
	196 apr. J.C.	Byzance est conquise par Septime Sévère.
	293	L'Empire romain est divisé. Byzance devient la capitale de l'Empire romain d'Orient.
	324–330	Constantin réunifie l'Empire, choisissant Byzance comme capitale. En 330, inauguration de Constantinople; naissance de l'Empire byzantin.
L'Empire byzantin	395 476	Division définitive de l'Empire romain. Chute de Rome.

L'Empire	634	Les musulmans s'emparent d'une partie du territoire byzantin.
	1071	Les Turcs Seldjoukides commencent à chasser les Byzantins d'Asie Mineure.
	1096	Début des croisades.
	1204	Les croisés s'emparent de Constantinople.
L'Empire ottoman	1300	Les Turcs Ottomans contrôlent le nord-ouest de l'Asie Mineure.
	1453	Les Ottomans, sous Mehmet II, conquièrent Constantinople.
	1520–1566	Règne de Soliman le Magnifique. Apogée de la civilisation ottomane.
	1853–1856	Guerre de Crimée.
	1914–1918	Première Guerre mondiale; l'Empire ottoman se range du côté de l'Allemagne, de l'Autriche-Hongrie et de la Bulgarie.
	1919–1922	Guerre gréco-turque.
La Turquie	1920	Mustafa Kemal installe à Ankara un gouvernement provisoire.
	1922	Abolition du sultanat.
	1923	La République turque est proclamée et Kemal élu président.
	1924	Abolition du califat.
	1938	Mort de Mustafa Kemal Atatürk.
	1960	Les militaires s'emparent du pouvoir; mise en place d'un cabinet de coalition aux mains des civils.
	1980	Devant la montée de la violence, l'armée restaure l'ordre.
	1982	Adoption d'une nouvelle Constitution et retour des civils au gouvernement.

QUE VOIR

On ne saurait, en une fois, venir à bout d'un pays moitié plus grand que la France ou presque. Aussi l'avons-nous découpé en six régions dont chacune, formant un tout, est plus facile à «cerner», à savoir: Istanbul et ses alentours, avec la Turquie d'Europe et la mer de Marmara; la Côte égéenne; la Côte méditerranéenne; l'Anatolie centrale; le littoral de la mer Noire, puis les provinces orientales.

Faire le tour de la Turquie serait ardu et supposerait que vous disposiez d'assez de temps pour explorer le pays à loisir. Cela dit, vous pouvez aisément, au cours de vacances normales, visiter deux ou trois régions. Bien trop souvent, on

se borne à séjourner en un seul endroit, telle plage de la mer Egée ou de la Méditerranée, et c'est dommage, tant l'intérieur offre de ressources. Ne vaudrait-il pas mieux, d'abord, consacrer votre énergie à rayonner autour d'Istanbul ou d'Ankara, en vous concentrant sur les mosquées, les musées et les sites archéologiques, avant d'aller vous reposer sur une plage?

La visite d'Istanbul figurera impérativement à votre programme. Pour parcourir cette ville pittoresque et tentaculaire, les taxis s'avèrent commodes et peu onéreux. Mais ne manquez pas non plus de flâner à pied, le nez au vent, histoire de vous imprégner de la magie d'un Orient romantique, ni d'accomplir une mini-croisière le long du Bosphore, jusqu'à la mer Noire. Autrement, offrez-vous un tour en mer Egée et à Izmir, ou poussez jusqu'à la Méditerranée.

D'Ankara, base obligée pour toute excursion en Turquie orientale, vous atteindrez également la mer Noire. La capitale constitue d'autre part le point de départ d'un circuit classique qui, par les cités hittites, mène aux merveilleux paysages volcaniques de la Cappadoce, puis aux plus anciens exemples connus de civilisation urbaine, près de Konya.

De là à la côte sud, où l'on peut encore se baigner en janvier, l'étape n'est pas longue. La découverte des rudes contrées de l'Est, sauf par le biais d'une visite guidée, devrait être réservée aux amateurs d'aventure; les distances considérables, les routes incertaines et les équipements précaires font que la plupart des touristes s'en tiennent aux régions les plus accessibles. L'avion, bon marché et rapide, rend bien des services quand il s'agit de passer d'une région à l'autre. Trabzon (Trébizonde), sur la mer Noire, est ainsi à une heure de vol seulement d'Istanbul, comme Dalaman, sur la mer Egée, et Antalya, sur la mer Méditerranée.

La solution consistant à visiter le pays en auto, logique qu'elle semble *a priori*, n'est guère recommandable. Evitez en tout cas de prendre votre propre voiture. Sur les routes peu fréquentées, en effet, la mécanique est mise à rude épreuve. En outre, même le Ministère du tourisme déconseille de rouler de nuit.

D'ailleurs, pourquoi conduire, puisque la Turquie possède un si vaste réseau de lignes de cars? A cet égard, les gares routières (*otogar*) vous réservent des expériences des plus mémorables. En matière de tohu-bohu, par exemple, la principale gare routière d'Istanbul bat tous les records. Vous serez guidé, dans un chaos indescriptible, jusqu'à un véhicule qui n'attend plus que vous pour s'ébranler! Quant aux tarifs, ils sont étonnamment bas.

Quoi qu'on puisse penser de l'état des routes et de l'habileté des conducteurs, il faut reconnaître que les services de cars sont d'une efficacité surprenante et qu'ils sont, en général, plus rapides que les trains.

Pour voyager en Turquie, la règle d'or est de se détendre et de prendre les choses du bon côté. Mieux vaut voir dans les petits inconvénients de tous les jours matière à d'amusantes anecdotes plutôt qu'à de vaines récriminations. Le spectacle fascinant des campagnards qui se déplacent à dos d'âne ou sur d'antiques charrettes fera de vous le témoin privilégié d'un genre de vie disparu ailleurs.

Mais vous ne sauriez jouir de tout cela et compter trouver partout le summum du confort. Fait autrement important, vous décèlerez chez vos hôtes un réel empressement à votre égard. Quand ainsi, quelqu'un vous accueille par un cordial «Hoş geldiniz» (Bienvenue), sachez qu'il est sincère.

Dans les villes, chacun vous indiquera le *turizm büro*. Dans les zones les plus touristiques ces services sont bien adaptés aux besoins des visiteurs. Ailleurs, le personnel saura au moins vous fournir en cartes et en dépliants fabriqués sur place. Ajoutons que les responsables des bureaux de tourisme connaissent bien leur région, qu'ils parlent l'anglais (plus souvent que le français) et qu'ils sont qualifiés pour vous recommander un hôtel ou un restaurant et, bien sûr, pour vous indiquer les curiosités locales ainsi que les moyens de vous y rendre.

ISTANBUL ET SES ENVIRONS

Avec l'étagement de ses dômes flanqués de minarets, Istanbul offre un paysage urbain des plus féeriques. Si, le matin, la ville somnole encore derrière un voile de brume diaphane, elle en émerge peu à peu à mesure que des jeux de lumière colorent ses édifices. Lorsque, à l'inverse, le crépuscule étend ses ombres pourpres, flèches et fenêtres concentrent les ultimes rayons de l'astre du jour et le Bosphore chatoie comme de la moire. Ses couchers de soleil ne sont pas le moindre charme de cette vieille cité où l'Est et l'Ouest se tendent pour ainsi dire la main.

La ville, issue de trois grandioses civilisations – romaine, byzantine et ottomane –, a été durant un millénaire le centre intellectuel de l'Occident. De nos jours, l'agglomération, sous l'impulsion d'une population estimée à quelque 6 millions d'âmes, change rapidement de visage. Ainsi, des jardins ont cédé la place à de grandes bâtisses; aux ruelles encombrées de plantes grimpantes se sont substitués des immeubles de bureaux, et les traditionnelles maisons en bois des vieux quartiers se font rares. Rares, aussi, ces palais d'été qui agrémentaient autrefois le Bosphore. Mais comme la tendance, et c'est heureux, a été stoppée à temps, le mystère et le charme d'Istanbul ont survécu.

Istanbul *(Istanbul)* se divise aisément en trois secteurs. Du côté de l'Europe, la vieille ville s'étend de la pointe du Sérail *(Sarayburnu)* à l'enceinte de Théodose, au sud de la Corne d'Or, alors que la ville moderne, Beyoğlu, s'étage sur les collines au nord de la Corne; c'est là le quartier des affaires, le mieux pourvu non seulement en magasins, mais aussi en hôtels. Sur la rive asiatique du Bosphore, enfin, Scutari *(Üsküdar)* s'avère surtout résidentiel.

Dans la vieille ville, il est facile, et agréable, d'atteindre à pied les principaux centres d'intérêt. Sans doute est-il préférable d'opérer une sélection personnelle entre les autres monuments situés sur la rive sud de la Corne, et d'utiliser pour s'y rendre les transports en commun. Autobus et taxis collectifs *(dolmuş)* abondent; quant aux taxis ordinaires, ils s'avèrent très abordables. Notez toutefois que la

plupart des musées istanbuliotes sont fermés le lundi, parfois d'autres jours. Aussi, consultez l'office du tourisme avant de vous déplacer.

Vous tiendrez certainement à accomplir une petite croisière sur le Bosphore; passant d'une rive à l'autre, jusqu'à la mer Noire, vous verrez défiler palais, forteresses et villages. Au Palais de Dolmabahçe, au parc de Yildiz et à Rumeli Hisarı sur la rive d'Europe, répondent le

Palais de Beylerbeyi, le parc de Çamlica et Anadolu Hisarı sur la rive d'Asie. Une excursion similaire le long de la Corne d'Or vous mènera à Eyüp, l'un des hauts lieux de l'Islam.

Plus loin d'Istanbul (prévoyez deux jours), les anciennes capitales ottomanes, Bursa (Brousse) et Edirne (Andrinople), valent toutes deux le déplacement, de même que Gallipoli et les vestiges de Troie.

LE VIEIL ISTANBUL

Si vous séjournez dans le quartier des hôtels, il vous faudra emprunter le pont de Galata pour gagner la vieille ville. De cet ouvrage d'art, vous découvrirez la rive asiatique et la Tour de Léandre, un phare édifié au large, dans la mer de Marmara. La Nouvelle Mosquée s'élève sur une place à l'extrémité du pont. Sur la droite se profile l'imposante Mosquée de

Classique coup d'œil sur l'orgueilleuse Mosquée Bleue et le Bosphore.

Soliman. Dans la direction opposée se succèdent les toits de Topkapia et le dôme de Sainte-Sophie, qui constituent de précieux points de repère, tout comme les six minarets de la Mosquée Bleue qui pointent à côté de l'Hippodrome.

Le quartier de Sultanahmet

La spacieuse At Meydanı (place aux Chevaux) ne donne qu'une faible idée de la splendeur de l'**Hippodrome** à l'époque byzantine, lorsqu'il était le cœur de la cité. Inspiré du Circus Maximus de Rome, il servait de champ pour les courses de chars en même temps que de forum. Construit en 203, puis agrandi par Constantin le Grand, l'Hippodrome finit par atteindre des dimensions gigantesques, soit à peu près 400 m de long sur 120 m de large pour une capacité de 100 000 spectateurs.

C'est en ces lieux que se déroula l'inauguration officielle de la Nouvelle Rome en 330. Il reste aujourd'hui peu de traces du faste d'antan. L'Hippodrome, détruit en 1204, au cours de la quatrième croisade, fut peu à peu dépouillé de tous ses ornements. Au XVIIe siècle, ses ruines fournirent des matériaux de construction, lors de l'édification de la Mosquée Bleue.

L'accès à la *spina*, sorte de terrasse matérialisant l'axe de l'arène, est indiqué par une fontaine en forme de casque (au plafond orné de dorures et de mosaïques), don du kaiser Guillaume II lors de la visite qu'il fit à Istanbul en 1900. Les trois monuments antiques suivants subsistent le long de la *spina*:

L'**Obélisque égyptien,** qui fut taillé sur l'ordre de Thoutmès III (1484–1450 av. J.-C.). Transporté à Constantinople en l'an 390 à la requête de l'empereur Théodose, il représente en fait le sommet de la colonne primitive. Des hiéroglyphes en parfait état, gravés dans un granit rose et lisse, révèlent que Thoutmès fit ériger ce monument en l'honneur du dieu du Soleil, Amon-Rê, ainsi que pour immortaliser ses propres victoires. Les bas-reliefs du socle (d'époque byzantine) représentent Théodose et sa famille.

La **Colonne serpentine,** qui présentait à l'origine l'aspect de trois serpents de bronze entrelacés pour servir de support à un vase d'or; c'est le monument grec le plus ancien d'Istanbul. Constantin la fit venir de Delphes, où elle commémorait la victoire des Grecs à Platées, en 479 av. J.-C. (voir p. 19). Enfin, un second obélisque, d'époque indéterminée; il s'agit de la **Colonne de Constantin Porphyrogénète,** ainsi dénommée en raison d'une inscription grecque figurant à sa base, selon laquelle l'empereur Constantin VII Porphyrogénète (913–959) la fit restaurer et recouvrir de plaques de bronze doré.

Sur le flanc occidental de l'Hippodrome, ne manquez pas de visiter le **Musée des arts turcs et musulmans** (*Türk ve Islam Eserleri Müzesi*). Les collections, logées dans l'**Ibrahim Paşa Sarayı,** le palais du riche gendre de Soliman, présentent un panorama de la vie turco-islamique du VIIIe siècle à nos jours. Outre des corans enluminés, des miniatures, des tapis et des faïences, de simples objets utilitaires y sont exposés.

La Mosquée Bleue

Appelée en turc *Sultan Ahmet Camii,* cette gracieuse mosquée a donné son nom au quartier environnant. Les plans en furent conçus au début du XVIIe siècle par l'architecte Mehmet Ağa. L'édifice, qui élève loin du sol ses dômes et ses demi-dômes aux courbes sensuelles, est flanqué de six sveltes minarets qui fusent vers le ciel.

A l'intérieur, tout semble baigner dans une lumière azurée émanant des carreaux bleus auxquels la mosquée doit son nom. On dénombre 21 043 de ces carreaux, qui proviennent d'Iznik *(Iznik),* célèbre par ses faïences depuis le milieu du XVe siècle. Lis, œillets, tulipes et roses stylisés resplendissent sous la lumière tombant de 260 fenêtres. Jusqu'au XVIIIe siècle, celles-ci comportaient des vitraux, qui rehaussaient les teintes bleutées de l'intérieur.

Quatre massifs piliers cannelés soutiennent la coupole centrale, aux proportions monumentales: 22,4 m de diamètre, pour 43 m de hauteur à la clé. Le *mihrab,* cette niche qui indique la direction de La Mecque, est de marbre blanc, tout comme la chaire délicatement ciselée. Des incrustations d'ivoire et de nacre mettent en valeur les volets d'ébène. Les arabesques peintes autour des fenêtres supérieures ont été restaurées, mais en vous plaçant sous la loge du sultan – si vous y êtes autorisé – vous pourrez voir la décoration d'origine, composée de vrilles aux savantes volutes.

Avant de visiter Sainte-Sophie, en face, cela vaut la peine de faire un crochet par la toute proche **Mosquée de Sokullu Mehmet pacha** *(Mehmet Paşa Camii).* L'un des chefs-d'œuvre du plus grand des architectes ottomans, Sinan, ce charmant édifice conserve de belles faïences d'Iznik.

Plus bas, à deux pas de la mer de Marmara, s'élève l'Eglise des Saints-Serge-et-Bacchus (VIe siècle), désignée par les Turcs sous le nom de **Küçük Ayasofya Camii** (Petite Sainte-Sophie). A l'intérieur, les chapiteaux, merveilleusement dentelés, portent pour certains le monogramme de Justinien et de sa femme, Théodora.

Sainte-Sophie *(Ayasofya)*

Vis-à-vis de la Mosquée Bleue s'élève l'ancienne Eglise Sainte-Sophie, reine incontestée de la

première colline de la ville. Constantin le Grand passe pour avoir bâti ici, en 325, une basilique sur l'emplacement d'un temple païen. Détruite à deux reprises par le feu, elle fut reconstruite entre 532 et 537 par Justinien, qui la consacra à la Sagesse divine *(Hagia Sophia)*.

C'est sans conteste l'un des plus remarquables édifices de tous les temps. Les plus beaux matériaux de l'époque furent utilisés pour sa construction: briques de Rhodes d'une légèreté toute spéciale pour l'énorme coupole, colonnes en porphyre provenant de Rome, ornements d'or et d'argent originaires d'Éphèse, serpentine de Thessalie, marbre blanc des îles de la mer de Marmara et marbre jaune d'Afrique du Nord. A l'intérieur, 16000 m^2 furent revêtus d'éclatantes mosaïques à fond d'or.

Le dôme ne tarda pas à être endommagé par un séisme, et les travaux de consolidation en ont alourdi l'aspect extérieur. Des contreforts furent mis en place au XIVe siècle et des minarets ajoutés après la conquête turque (1453), une fois Sainte-Sophie convertie en mosquée. Sinan renforça ces contreforts au XVIe siècle, et la plus

Sous la prodigieuse coupole de Sainte-Sophie, l'émotion est toujours au rendez-vous.

récente restauration eut lieu au milieu du siècle dernier. En 1935, enfin, Atatürk ordonna la transformation de l'édifice en musée.

Sainte-Sophie fut une église durant près d'un millénaire, puis une mosquée pendant cinq siècles. Ce furent les croisés qui en pillèrent les trésors et la dépouillèrent de sa splendeur. Le premier geste de Mehmet le Conquérant, après la prise de Constantinople, fut, on l'a vu, de se rendre à Sainte-Sophie.

Les visiteurs entrent par une porte latérale, avant de franchir le vestibule donnant accès au narthex. Celui-ci, richement revêtu de marbre, s'ouvre par neuf portes sur la nef, un espace aux proportions saisissantes, surmonté d'une prodigieuse **coupole** d'environ 31 m de diamètre et 55 m de hauteur, et que séismes et travaux de restauration ont fini par déformer légèrement. L'inscription en caractères arabes qui se déroule en haut a été placée lors de la restauration menée en 1847 pour compléter les disques portant, en arabe, des noms sacrés de l'islam.

L'abside contient l'une des plus belles **mosaïques** qu'on puisse admirer en ces lieux: la Vierge Marie tenant l'Enfant Jésus. Vous remarquerez, sur l'arc de tête, l'archange Gabriel, saisissant au possible; de son compagnon, l'archange Michel, il ne subsiste que quelques plumes des ailes. Gravissez les rampes conduisant du narthex aux tribunes. Face à la Déisis, extraordinaire mosaïque du XIIIe siècle montrant Jésus flanqué de Marie et de saint Jean Baptiste, se trouve la tombe vide d'Enrico Dandolo, doge de Venise, le grand responsable de l'odieux sac de Constantinople en 1204. Plusieurs autres mosaïques montrent des empereurs et des impératrices présentant des offrandes à la Mère et à l'Enfant.

Ne ressortez pas sans avoir vu la **colonne suante,** percée d'un trou grand comme le pouce, où se maintient une perpétuelle humidité en raison de la perméabilité de la pierre aux eaux souterraines. Une légende chrétienne veut qu'il s'agisse de l'empreinte du pouce de saint Grégoire, tandis que les musulmans y voient l'endroit où un saint homme introduisit le doigt pour tenter d'orienter l'édifice vers La Mecque…

Un palais souterrain

Yerebatan Sarayı (Palais englouti), à un jet de pierre de l'Hippodrome, offre un spectacle fascinant. Vous descendrez dans une immense cavité, dont la dénomination de «palais» remonte à l'époque (VIe siècle) où Justinien fit agrandir une citerne aménagée sous Constantin. Yerebatan Sarayı est le plus célèbre des nombreux réservoirs d'Istanbul. Les eaux provenant de la forêt de Belgrade, au nord de la ville, y étaient recueillies dans l'éventualité d'un siège. Les 336 colonnes byzantines à chapiteau corinthien et les voûtes de briques sont toujours solidement en place, se reflétant dans un plan d'eau sombre qui s'étend à perte de vue dans une pénombre silencieuse.

Le Palais de Topkapı

Ancienne résidence des sultans ottomans, *Topkapı Sarayı* – le Sérail – fut bâti en 1462 par Mehmet le Conquérant. Chaque souverain ajouta quelque élément à ce palais qui finit par devenir une véritable cité comprenant des mosquées, des bains, un atelier monétaire, des écoles, des bibliothèques, des résidences, sans oublier des jardins et des fontaines, le tout ordonné autour de quatre cours principales.

Près de l'entrée extérieure de Topkapı s'élève une **fontaine** particulièrement élégante, édifiée au début du XVIIIe siècle par Ahmet III. On entre dans la première cour par la Porte impériale *(Bab-Î Hümayun)*, érigée en 1478. Puis se succèdent jardins, pelouses et arbres, qui créent l'atmosphère de rêve appropriée pour le visiteur admis à pénétrer dans le mystérieux univers des sultans. Ce secteur est nommé **Cour des Janissaires,** d'après le corps de soldats d'élite qui s'y rassemblait jadis. S'il ne reste rien des anciennes dépendances du palais, telles que boulangeries et bûchers, la cour n'en recèle pas moins un trésor: la vieille Eglise Sainte-Irène. Remettez-en toutefois la visite à plus tard et continuez jusqu'à une construction fortifiée, la Porte des Saluts *(Bab-üs Selam)*. Le bâtiment qui abrite le guichet d'entrée servit occasionnellement de prison. Seul le sultan pouvait franchir cette porte à cheval, et c'est encore là que voitures et taxis doivent s'arrêter de nos jours. Ce passage livre accès à la Cour du Divan, début du

Sur les murs de Topkapî des fleurs, encore des fleurs, toujours des fleurs.

palais proprement dit, où se réunissait le Conseil impérial.

A droite de la porte s'étendent les immenses **cuisines,** bâties par Mehmet le Conquérant et Beyazit II au XVe siècle et considérablement agrandies depuis. Ces cuisines abritent de nos jours une inestimable collection de **porcelaines chinoises,** de même que des porcelaines et cristaux européens, des ustensiles de cuisine et des services de table ottomans. La seule collection de porcelaines chinoises compte 10 512 pièces, dont la plus grande partie doit être entreposée dans les réserves.

Mais le palais contient bien d'autres richesses. Dussiez-vous ne rien voir d'autre, il vous faut visiter le **harem** (d'un mot signifiant «réservé» ou «sacré»). Le sultan, sa mère, ses épouses (il avait le droit d'en avoir quatre) et ses innombrables concubines vivaient dans ce sombre labyrinthe d'escaliers, de couloirs, de chambres et de hammams. La principale préoccupation des femmes était de donner naissance à un enfant du sexe masculin, puis d'en assurer l'accession au trône. Il n'est pas difficile d'imaginer l'atmosphère toute de drame et de jalousie qui régnait en ces lieux au décor surchargé.

Hormis le sultan, bien sûr, les seuls hommes adultes admis dans le harem étaient les eunuques noirs

qui en avaient la garde. Après avoir franchi la porte cochère, par où passaient les femmes lors de leurs rares sorties, vous atteindrez le **Dortoir des Eunuques noirs.**

La mère du souverain *(valide sultan)* exerçait un pouvoir sans limite sur son fils, sur l'Empire et plus particulièrement sur le harem. Les **appartements** où elle logeait occupent la majeure partie du bâtiment situé à l'ouest de la Cour de la Valide Sultan. L'estrade du lit à baldaquin doré de la sultane est revêtue de faïences à fleurs du XVIIe siècle.

Le **Hammam du Sultan** comprend un cabinet de toilette, une salle froide et les bains proprement dits. Le souverain était baigné par des domestiques âgées, puis soigné par des groupes de servantes plus jeunes. Passez ensuite dans la somptueuse **Salle du Sultan,** aux trois belles fontaines en marbre, où le souverain assistait à des ballets, écoutait de la musique ou se délectait de spectacles de marionnettes. La sultane mère et les épouses légitimes s'asseyaient sur l'estrade, tandis que les esclaves les plus douées pour la musique jouaient du haut de la galerie.

Esthète épris de paix, Selim III devait être exécuté par son successeur, Mustafa IV.

Il n'est rien de plus étonnant que les appartements dénommés **Kiosque de Murat III,** avec leurs parquets marquetés, leurs faïences à fleurs d'Iznik, leurs fontaines et leurs cheminées sculptées, avec, surtout, la splendide coupole de la grande chambre, qu'on attribue à Sinan. L'ensemble représente la quintessence des arts ornementaux turcs du XVIᵉ siècle. Ne manquez pas de voir la petite bibliothèque (début du XVIIIᵉ siècle), ni la Salle des Fruits (début du XVIIIᵉ), décorée de fleurs et de fruits, peints dans le style rococo européen sur l'ordre d'Ahmet III, le «roi aux tulipes», qui saluait tous les ans la venue du printemps par une exposition de ses fleurs préférées dans les jardins de Topkapı.

L'or étincelle à souhait dans le **trésor,** dont la présentation débute pourtant sans trop de faste par une coupe faite de péridots vert pomme, avant de révéler de fabuleuses merveilles. Vous pourrez admirer, entre autres objets: une paire de chandeliers en or massif, dont chacun est incrusté de 666 diamants (symbolisant les 666 sourates du Coran); un trône d'or serti de plus de 900 péridots; un berceau argenté orné de perles, dans lequel les nouveau-nés, princes ou princesses, étaient présentés au sultan; puis un autre trône, en bois revêtu de feuilles d'or et rehaussé

d'émaux et de pierres précieuses. Mais les plus beaux fleurons de la collection sont un diamant de 86 carats entouré de 49 pierres plus petites (le diamant dit «du Fabricant de cuillers», dans la quatrième salle); et, naturellement, le poignard rendu célèbre par le film *Topkapî.* Le manche de cette arme est serti de trois énormes émeraudes scintillantes; une quatrième émeraude, au-dessus, sert de couvercle à une montre enchâssée dans la poignée; la gaine en or est incrustée de diamants.

Sainte-Irène

De retour dans la première cour, il vous reste à visiter l'**Eglise Sainte-Irène** *(Aya Irini Kilisesi)*, qui fut bâtie par Justinien sur le plan d'une basilique à coupole, à peu près à la même époque que Sainte-Sophie. Son nom signifie «Paix divine», ce qui n'empêcha pas les janissaires de la transformer en arsenal. L'église a subi récemment une restauration et des concerts y sont donnés, en particulier durant le Festival d'Istanbul, en juin.

Trois musées

Ces musées d'un intérêt exceptionnel sont commodément situés l'un près de l'autre dans une cour, juste à l'ouest du Sérail. Même si vous n'êtes pas de ceux que l'histoire passionne, ne négligez pas le

Musée archéologique *(Arkeoloji Müzesi)*. L'un des plus célèbres du monde, il est particulièrement réputé pour sa collection de sarcophages.

Le **Musée de l'Orient ancien** *(Eski Şark Eserleri Müzesi)* présente une riche collection d'objets relatifs aux anciennes civilisations du Proche et du Moyen Orient. Dans le nombre figurent des plaques babyloniennes du temps du roi Nabuchodonosor (605–562 av. J.-C.), des figurines mésopotamiennes au sourire énigmatique et des tablettes d'argile sur lesquelles est gravé, en caractères cunéiformes, le *Code d'Hammourabi*.

Enfin, le **Kiosque aux Faïences** *(Çinili Köşkü),* qui s'avère le plus séduisant des bâtiments de la cour. Elevé sous Mehmet le Conquérant en 1472, il fut agencé en pavillon de chasse et son aspect n'a guère changé depuis. Les faïences de l'extérieur remontent pour la plupart à la période seldjoukide. A l'intérieur sont exposées de précieuses céramiques.

Le centre

Une large rue rectiligne, Divan Yolu, mène de la place Sultan Ahmet à la place Beyazit, le coin le plus animé de la vieille ville, situé sur la troisième colline. C'était

déjà une grande artère à l'époque byzantine. Sur la droite, presque à mi-parcours, se dresse la **Colonne brûlée** *(Cemberlitas)*, calcinée lors d'un grand incendie en 1770. Constantin l'avait érigée en mai 330 pour célébrer l'accession de la ville au statut de capitale de l'Empire romain. En même temps que des reliques païennes, des clous et un fragment issus de la Vraie Croix auraient été scellés dans son soubassement.

Derrière la Colonne brûlée, l'extérieur baroque de la **Nuruosmaniye Camii** (1755) contraste avec la simplicité de l'intérieur, où 174 fenêtres illustrent la signification du nom de cette mosquée: «Lumière d'Osman».

Place et Mosquée Beyazit

Les pigeons tournoient au-dessus de la foule sur **Beyazit Meydani.** Théodose Ier fit aménager l'endroit au IVe siècle, parachevant dignement le travail au moyen d'un arc de triomphe qui porte son nom et dont d'importants fragments subsistent non loin de l'angle sud-ouest de la place Beyazit.

La noble **mosquée** qui domine le côté nord-est de cette même place fut construite par le sultan Beyazit, fils de Mehmet le Conquérant, dans les toutes premières années du XVIe siècle. Ce mystique épris de paix, à tous égards l'opposé de son audacieux père, se trouve de ce fait à l'origine de l'architecture ottomane classique, qui a puisé directement son inspiration dans Sainte-Sophie.

Accordez-vous un moment de repos sous l'antique platane tacheté du jardin de thé installé entre la mosquée et l'université, le temps d'observer les étudiants d'Istanbul, avant d'entrer dans le Grand Bazar.

La **Tour Beyazit,** qui pointe dans les jardins de l'université, au-delà de l'entrée monumentale, est un ancien poste de guet contre l'incendie, érigé en 1828.

Le Grand Bazar
Marché couvert, *Kapali Çarşi*… quel que soit le nom qu'on lui donne, il tient à la fois de la caverne d'Ali Baba et de la Tour de Babel.

Il s'agit du plus vaste marché oriental du monde: sous ses toits aux multiples coupoles, c'est une ville en soi, avec ses ruelles tranquilles, ses carrefours animés et ses grandes artères. Mehmet le Conquérant fit construire ici, en 1461, un marché couvert, qui dut être rebâti à plusieurs reprises à la suite de divers incendies ou séismes. De nos jours, le bazar comporte environ 4000 boutiques, ainsi que des banques, cafés, restaurants et mosquées. Sa partie la plus ancienne est, au centre, le Vieux Bedesten, réservé aux marchandises les plus précieuses, car il peut être solidement bouclé la nuit.

Même si vous n'avez pas l'intention d'acheter quoi que ce soit, allez visiter ce marché, quintessence d'Istanbul et de la Turquie. Imaginez un kaléidoscope au bariolage toujours renouvelé. Des voix vous y interpellent en une dizaine de langues. Les vendeurs d'eau passent en tintinnabulant et les portefaix *(hamal)* ploient sous d'invraisemblables fardeaux. Ici, l'expression «fort comme un Turc» prend tout son sens!

Après quoi, le **Marché aux Livres** *(Sahaflar Çarşisi)* vous apportera un répit bienvenu. On y

Au bazar, tout le monde y va de son commentaire!

trouve des ouvrages en toutes les langues. Vous avez des chances de découvrir un coran richement enluminé non loin d'un exemplaire de la *République* de Platon…

La Mosquée de Soliman le Magnifique

Sobre de lignes, harmonieuse par le classicisme de ses proportions, la *Süleymaniye* est admirablement située au-dessus de la Corne d'Or. Illustration du génie de deux hommes, Soliman, le sultan qui dirigea l'Empire ottoman à l'apogée de sa puissance, et Sinan, son architecte en chef, cette mosquée fut construite entre 1550 et 1557 par quelque 5300 ouvriers.

Vous traverserez d'abord une vaste cour ornée d'une fontaine à ablutions rectangulaire en marbre et en bronze doré. La lumière du jour entre à flots dans l'édifice par des fenêtres garnies de vitraux du XVIe siècle. La **coupole** mesure 53 m de haut et l'intérieur de la mosquée elle-même 57 m sur 60; quatre colonnes de porphyre en marquent les coins. Des faïences d'Iznik décorent les côtés du *mihrab*. Portes et persiennes sont délicatement incrustées d'ivoire et de nacre.

Selon la légende, des pierreries de Perse auraient été incorporées au ciment lors de la construction, et

49

l'exceptionnelle acoustique aurait été obtenue en enchâssant 64 jarres vides, le col en bas, dans la coupole. Une autre tradition veut que Soliman, en découvrant «sa» mosquée, ait su en reconnaître la grandeur. Aussi en aurait-il remis les clefs à Sinan, laissant à celui-ci l'honneur d'ouvrir l'édifice à sa place… Commencé en 1520, le règne de Soliman (voir p. 26) devait durer quarante-six années. Au cours de cet âge d'or, les arts et les sciences fleurirent.

Tant le sultan que l'architecte (qui mourut presque centenaire) sont inhumés dans le cimetière attenant. Prenez donc le temps d'y flâner: en saison, iris, roses et primeroses mauves s'enchevêtrent avec les hautes herbes parmi les pierres tombales penchées. Sinan gît dans un modeste mausolée en bordure du cimetière, alors que Soliman a été gratifié d'un tombeau bien plus imposant, orné de faïences d'Iznik, de peintures et du turban impérial. La tombe de Roxelane, femme de Soliman, est elle aussi décorée de magnifiques faïences d'Iznik.

C'est en parcourant la terrasse, d'où la vue en direction du pont de Galata est splendide, que vous prendrez conscience de l'immensité de la Süleymaniye, complexe qui englobait des écoles, des bains, un caravansérail, une bibliothèque,

des cuisines, un asile pour les pauvres et des logements pour les serviteurs. Vous remarquerez aussi les minarets, dont deux comportent deux balcons, les deux autres en ayant trois. L'existence de quatre minarets signifie que Soliman était le quatrième sultan à régner à Istanbul; le nombre des balcons, dix au total, indique qu'il était le dixième monarque ottoman.

La «ville extérieure»

C'est une véritable guirlande de mosquées et d'églises byzantines qui se déroule dans ce secteur, lequel devient toujours plus pittoresque à mesure qu'on se rapproche de Saint-Sauveur-in-Chora, en descendant vers les quartiers de Balat et de Fener, en bordure de la Corne d'Or. Des familles anatoliennes venues s'installer à Istanbul ajoutent une note colorée à ces quartiers, où il vous faudra emprunter des ruelles mal pavées entre des maisons de bois branlantes.

Partez de Şehzadebaşi Caddesi. L'imposante **Mosquée du Prince** (*Şehzade Camii*) est l'une des premières réalisations de Sinan, qui la termina en 1548. Elle est dédiée à la mémoire du prince Mehmet, fils de Soliman, mort en 1543 à l'âge de 21 ans.

Non loin de là, les restes de l'**Aqueduc de Valens** (*Bozdoğan*

Kemeri), encore très évocateurs, enjambent Atatürk Bulvari. Cet ouvrage remonte au IIe siècle, mais l'empereur Valens le fit reconstruire au IVe siècle; depuis, il a été restauré à plusieurs reprises, et il était encore en usage au siècle dernier.

Allez vous asseoir un moment sous ses arches dans le jardin d'un aimable édifice du XVIe siècle, qui abrite le **Musée municipal** *(Belediye Müzesi)*. Ce musée mérite une visite pour ses tableaux représentant l'ancien Istanbul et pour tout un ensemble, très attachant, de photographies, costumes, verreries et autres souvenirs du temps jadis.

Mehmet le Conquérant et sa famille sont inhumés dans le cimetière de la **Fatih Camii,** édifiée sur la quatrième colline entre 1462 et 1470, mais reconstruite après le séisme de 1766. Cet ensemble, le plus vaste de l'Empire ottoman, comprenait un hôpital, un asile d'aliénés, des hospices et des logements pour les visiteurs, sans considération de race ni de religion. De nombreuses écoles en seignaient les sciences, les mathématiques et l'histoire, de même que la loi coranique.

Empruntez ensuite Yavuz Selìm Caddesi pour aller jeter un coup d'œil à une sorte de village coquet, le **Çukurbostan,** le «jardin creux», qui occupe, face à la Mosquée de

Selim Ier, l'emplacement de l'ancienne Citerne d'Aspar. Il y a là en effet, en contrebas de la route, des maisonnettes coiffées de tuiles rouges et entourées de figuiers, de pommiers et de carrés de légumes, le tout enserré par des vestiges de murs romains.

Dominant la cinquième colline, la **Mosquée de Selim Ier** *(Sultan Selim Camii)* fut élevée en l'honneur du père de Soliman le Magnifique. Au-delà de la cour, très pittoresque, vous embrasserez du regard la Corne d'Or aux eaux paresseuses. Vous apercevrez également Saint-Georges, siège du Patriarcat de l'Eglise grecque orthodoxe. A vos pieds s'étendent le quartier de Fener (l'ancien Phanar) et, un peu en amont, celui de Balat. Errer dans leurs rues étroites vous révélera un nouveau visage d'Istanbul. Il semble qu'ici le temps ait suspendu son cours.

La volaille caquette et la lessive sèche dans la cour de l'**Eglise de Theotokos Pammakaristos** *(Fethiye Camii),* dont une partie est affectée aux chrétiens... et l'autre au culte musulman. Ne manquez pas d'examiner ce qu'il reste de la série de mosaïques du XIVe siècle qui ornaient autrefois cet édifice.

L'un des plus beaux fleurons de la couronne byzantine d'Istanbul est Saint-Sauveur-in-Chora, ou **Kariye Camii,** ancienne église

51

transformée en musée qui conserve des mosaïques et des fresques admirables.

La partie la plus ancienne en est le centre, surmonté d'une coupole, qui date de 1120. L'édifice fut reconstruit au début du XIVe siècle par Théodore Métochite, homme d'Etat, ami intime et conseiller de l'empereur Andronic II Paléologue. Malheureusement, cet humaniste doublé d'un amateur d'art éclairé se trouva réduit à la misère quand le *basileus* fut renversé et il passa les dernières années de sa vie en son monastère de Chora, au milieu des superbes œuvres d'art dont il l'avait embelli.

Métochite, s'il ne toucha pas à la construction centrale, ajouta probablement le narthex extérieur et le parecclésion (chapelle latérale). L'église fut transformée en mosquée en 1511, mais, hormis l'adjonction d'un minaret et l'obturation de quelques fenêtres, elle ne subit aucune altération, cependant que des écrans en bois étaient appliqués sur les **mosaïques.** Celles-ci illustrent la vie de Jésus et de Marie. Sur la mosaïque surmontant la porte qui donne accès à la nef figure un portrait de Métochite

Saint-Sauveur-in-Chora s'entoure de vieilles maisons en bois qui ont été restaurées avec amour.

présentant son église bien-aimée au Christ. Pour accentuer l'effet de lumière, chaque élément (abacule) a été disposé à une profondeur et selon un angle différents, créant ainsi une surface chatoyante.

Quant aux **fresques,** elles se trouvent toutes dans le parecclésion qui servit de chapelle funéraire à l'époque byzantine. C'est là, sur la demi-coupole de l'abside, que

vous pourrez admirer la magistrale Résurrection *(Anastasis)*. Peut-être ces mosaïques et ces fresques sont-elles dues au même artiste. Elles semblent en tout cas contempo-raines des œuvres de Giotto à Padoue (qui datent de 1310–1320), encore qu'on les attribue parfois à Théophane le Grec. Quoi qu'il en soit, la délicatesse des couleurs, le naturel des attitudes, de même que l'expression vivante des person-nages, attestent l'extraordinaire floraison de l'art byzantin à la veille de sa décadence.

Signalant la sixième colline, la **Mihrimah Camii** fut bâtie en 1565 par Sinan pour l'une des filles de Soliman. Un peu plus au nord s'élève le **Tekfur Sarayı,** reste de la dernière des grandes résidences de la famille impériale de Byzance.

Mehmet le Conquérant entra dans la ville par la Porte d'Andrinople (Edirnekapı), percée à proximité dans le Mur de Théodose. Entière, cette muraille, dont l'édification a commencé au Ve siècle, courait sur 17 km, de la mer de Marmara à la Corne d'Or; les fortifications comportaient 400 tours et 50 portes, dont sept servent encore de points de passage. Une bonne partie de la muraille intérieure et nombre de tours sont toujours debout. C'est parmi les vestiges de ces fiers remparts que les bohémiens d'Istanbul ont établi leur camp, Sulukule; leur installation en ces lieux remonte au XIIe siècle, sous le règne d'Andronic Ier Comnène.

Le **Château des Sept Tours** (*Yedikule*) veille non loin de la mer de Marmara, à l'extrémité sud du Mur de Théodose. Assez éloignée des autres curiosités d'Istanbul, cette ancienne forteresse est néanmoins facilement accessible par la route littorale. Ses quatre tours byzantines, complétées par trois tours turques, furent intégrées aux défenses de la ville par Mehmet le Conquérant en 1470. La **Porte dorée** (*Altınkapı*), construite antérieurement aux fortifications, était surchargée de bas-reliefs en marbre et d'inscriptions en or; c'était là l'arc de triomphe des empereurs de Byzance.

Eminönü

Prenez le temps de flâner à loisir dans le quartier d'Eminönü, à l'endroit où le pont de Galata touche la rive sud de la Corne d'Or. C'est là que le grouillement de la foule semble le plus fiévreux, les couleurs les plus vives, les odeurs les plus fortes, car Eminönü résume, à lui seul, le spectacle qu'offrent du matin au soir les rues du vieil Istanbul.

La place qui s'étend devant la **Nouvelle Mosquée** (*Yeni Cami ou Valide Camii*) est le rendez-vous de quelques-uns des mendiants et colporteurs les plus notoires de la ville, qui colonisent les abords de cet édifice du XVIIe siècle. Commencée par la mère de Mehmet III en 1597, la Nouvelle Mosquée fut terminée soixante-six ans plus tard par la mère de Mehmet IV. Elle renferme de remarquables faïences, en particulier sur la tribune royale.

A deux pas de là, le Bazar égyptien (*Mısır Çarşısı*) doit son surnom de «**Marché aux Epices**» au fait qu'on y vend, depuis des siècles, mille herbes et épices. Sa création devait permettre de réunir des fonds pour la restauration de la mosquée voisine et de ses dépendances. Il y règne une odeur entêtante, faite des senteurs conjuguées du gingembre, du poivre, du safran, de l'eucalyptus, du jasmin, de l'encens, de la cannelle, de la muscade,

de l'eau de rose et du café fraîchement torréfié.

Dans le passé, les vendeurs se
tenaient assis en tailleur sur des
tapis, prêts à saisir pilon et mortier
pour préparer, en toute fantaisie

*Le Marché aux Epices d'Eminönü,
étonnant palais des mille et une
senteurs.*

souvent, quelque panacée, sup-
posée souveraine contre le lumba-
go, le mal d'amour, l'angine ou le
mauvais œil!

Mais ce marché regorge aussi
de denrées ou d'objets plus
prosaïques, et les Istanbuliotes y
accourent dès qu'ils ont besoin de
quelque chose: poisson, fleurs,
vêtements, chaussures d'occasion,
seaux en plastique…

Faites une pause dans la **Mosquée de Rüstem pacha** *(Rüstempaşa Camii)*, dont le minaret se dresse au-dessus de Hasırcılar Caddesi. Il s'agit, là encore, d'une réalisation due à Sinan; elle resplendit, au dehors comme au dedans, de tout l'éclat de ses belles faïences d'Iznik.

Frayez-vous ensuite un chemin le long de Hamidiye Caddesi jusqu'à la **gare de Sirkeci,** autrefois terminus du prestigieux *Orient-Express*. Puis, afin de mieux vous pénétrer de l'atmosphère du quartier, mêlez-vous à la foule sur le **pont de Galata,** non sans être allé auparavant découvrir, au-dessous, les nombreux petits restaurants et les cafés où des Turcs tirent béatement sur leur narguilé tout en observant le va-et-vient des bateaux sur la Corne d'Or.

Le premier pont à cet endroit fut construit en 1845 sur l'ordre de la mère d'Abdülmecit Ier. L'ouvrage actuel, réalisé en 1912, repose sur des pontons; la partie centrale de son tablier est ouverte tous les matins pendant une heure afin de permettre le passage des gros navires. En franchissant ce pont pour gagner la rive nord, vous verrez, droit devant vous, la silhouette aisément reconnaissable de la Tour de Galata, qui domine l'ancien quartier de Galata, rebaptisé aujourd'hui Karaköy.

LA VILLE MODERNE

Les noms peuvent bien changer, et les quartiers perdre tout caractère, **Galata** s'accroche aux lambeaux d'une vieille réputation de turbulence, et il en ira ainsi tant qu'il restera une poignée de vrais Galatiotes pour se souvenir du passé. C'est au cours du XIe siècle qu'une farouche bande de marins sans enrôlement et d'aventuriers louches venus de tous les ports d'Europe et d'Asie s'établit au bord de la Corne d'Or, dans ce quartier. Mais, avant eux, des marchands génois s'étaient installés dans les collines qui dominent le port, finissant par créer une ville fortifiée dans la ville et se parant du titre de «Magnifique Communauté de Péra».

La **Tour de Galata,** érigée pour la défense de cette colonie autonome, est de date incertaine. Il semblerait qu'elle ait été construite en 1349 sous son aspect actuel, en tant qu'ouvrage intégré aux fortifications urbaines. D'un intérêt architectural limité, elle ménage néanmoins, du restaurant aménagé à son sommet, une vue prodigieuse. Allez jouir du coup d'œil le soir, lorsque le ciel, l'eau et les maisons se colorent de rose ou de mauve aux rayons du soleil couchant: c'est

Menu fretin et petite friture au bord de la Corne d'Or.

l'heure où Istanbul, auréolé de mystère et de nostalgie, s'avère le plus photogénique. A l'ouest et au sud, vous dominez la Corne d'Or; à l'est s'étendent le Bosphore et le quartier de Tophane, qu'indiquent la Kılıç Ali Paşa Camii (édifiée par Sinan) et un édifice occidentalisé du XIXᵉ siècle, la Nusretiye Camii. Entre les deux pointe une pièce montée rococo, souvent reproduite sur les vues anciennes d'Istanbul: la Fontaine de Tophane.

Le *Tünel*, l'un des plus vieux et des plus courts métros du monde, qui part en dessous de la tour, près du pont, gagne en ferraillant le début d'**Istiklâl Caddesi,** principale artère de Beyoğlu. Des palais – occupés autrefois par des ambassades – furent construits à partir du XVIIᵉ siècle le long de cette rue, qui fut la plus élégante de la ville et où déambulait jadis une brillante foule cosmopolite. Les palais en question n'abritent plus que des consulats depuis le transfert du siège de la capitale à Ankara, en 1923. Sur la place de Galatasaray, où Istiklâl Caddesi change de direction, un portail d'une grande élégance signale le Galatasaray Lisesi, le célèbre lycée franco-turc, fondé au XIXᵉ siècle, que fréquentèrent nombre de grandes figures de l'histoire moderne du pays.

Vous changerez d'ambiance en empruntant **Çiçek Pasajı,** le passage des Fleurs, qui s'ouvre sur la gauche après le carrefour de Galatasaray. Avec ses innombrables tavernes, c'est le rendez-vous favori de la bohème locale. L'endroit est hanté la nuit par une faune bruyante et dépenaillée. (Un conseil: mettez vos objets de valeur en sûreté avant de vous y rendre!)

C'est une tout autre expérience qui attend le visiteur à l'**Hôtel Pera Palas** (dans Meşrutiyet Caddesi), ouvert en 1892 à l'intention des voyageurs de l'*Orient-Express* et qui a accueilli de nombreuses célébrités. Si sa splendeur est quelque peu fanée à présent, cela ne fait qu'ajouter au charme de ses vastes salons éclairés par de beaux lustres, où des braseros et des samovars anciens sont disposés parmi d'épais tapis turcs. L'ascenseur vous déposera à deux pas de la chambre d'Atatürk, demeurée telle qu'elle était lorsqu'il y séjournait.

Istiklâl Caddesi est de nos jours une artère commerçante animée où s'écoule une circulation bruyante. La rue se termine à **Taksim Meydanı,** cœur de la ville moderne et site du vaste et nouveau Centre culturel Atatürk. En été, lors du Festival international, on y trouve des billets pour les différents concerts et de nombreux spectacles y sont donnés.

Plus haut que Taksim, vous atteindrez le quartier des hôtels et au-delà, le **Musée militaire** *(Askeri Müze),* sis à Harbiye, en face de la Halle des sports et des expositions. Ne négligez pas ce musée: c'est un endroit passionnant et votre visite sera d'autant plus intéressante si vous y arrivez à temps pour le concert de l'orchestre Mehter, qui fait revivre la musique des janissaires. Ses prestations, brèves et bien enlevées, sont très appréciées de l'auditoire. (Concert à 15 h, tous les jours sauf lundi et mardi, jours de fermeture du musée.)

Dolmabahçe

Une large rue descendant de Harbiye rejoint Dolmabahçe Caddesi, un boulevard bordé d'arbres qui suit le Bosphore en passant devant le **Palais de Dolmabahçe.**

Franchissez la grille à la décoration surchargée. Derrière, parmi les pins et les magnolias, vous verrez une «folie» du siècle passé, d'une blancheur de neige et romantique en diable avec ses colonnes et ses volutes de marbre. A sa façon, Dolmabahçe est un symbole. Edifié entre 1843 et 1856 sur l'ordre d'Abdülmecit Ier, le palais fut la résidence des derniers sultans. Son aveuglante façade et son intérieur tout aussi éblouissant fournirent le décor intime des ultimes heures de l'Empire ottoman. Confronté aux fortes aspirations de la Turquie à la démocratie, le dernier sultan devait quitter sa demeure pour s'embarquer sur un navire britannique.

Lorsqu'il ouvrit le palais au public, Atatürk proclama que les «Ombres de Dieu» (les sultans) avaient été remplacées par des «gens bien réels et qui ne sont pas des ombres», avant de conclure: «Je suis ici l'hôte de la nation.» Le tonnerre d'applaudissements qui éclata alors fit tinter les lustres en cristal de Dolmabahçe. Car le cristal règne en maître dans ce palais, qui compte en tout 36 lustres, auxquels s'ajoutent maints accessoires, appliques et miroirs en cristal de Bohême ou de Baccarat, jusqu'à l'escalier partant du vestibule avec sa rampe de cristal. Fauteuils revêtus de damas, salle de bains en albâtre, vases de Sèvres, émaux, tapis de soie des Gobelins et de Turquie, porcelaines, argenterie, deux immenses peaux d'ours (dons d'un tsar): cet inventaire des richesses de Dolmabahçe suffit à souligner dans quelle irréalité s'écoulèrent les derniers jours de l'Empire.

Mais le souffle visionnaire d'Atatürk balaya ce monde suranné. Le Père des Turcs, qui avait conservé un petit appartement à Dolmabahçe, y mourut le 10 novembre 1938. Les horloges du palais marquent 9 h 05, heure de son décès…

Le **Musée de la mer** *(Deniz Müzesi)* et le **Musée de peinture et de sculpture** *(Resim ve Heykel Müzesi)* sont tous deux situés dans ce secteur. Vous visiterez le second pour ses vues d'Istanbul, représenté comme une ville agrémentée de jardins et de collines boisées; vous y suivrez aussi l'évolution de l'art turc aux XIXe et XXe siècles.

A propos de collines boisées, vous en verrez de vraies au **parc de Yıldız,** avec des lacs, des ruisseaux et des sentiers sinueux. Deux kiosques et un pavillon y ont été restaurés par Çelik Gülersoy, à qui Istanbul doit la sauvegarde de tant d'édifices témoins de son passé. Le palais édifié à cet endroit, **Yıldız Sarayı,** a servi de résidence royale durant trente ans, au temps d'Abdülhamid II (1876–1909), qui le préférait à Dolmabahçe.

Plus loin, là où le Bosphore se resserre, se dresse la sévère forteresse de **Rumeli Hisarı,** bâtie en 1452 par Mehmet II en prélude à la Conquête et restaurée en 1953. Elle se compose de trois importantes citadelles reliées par des murs et sa construction, qui ne prit que quatre mois, fut un prodigieux tour de force.

Istanbul balance entre le rêve occidental, ainsi à Dolmabahçe, et les souvenirs anatoliens.

LA RIVE ASIATIQUE

Des bacs, partant du pont de Galata, desservent Üsküdar ainsi que divers points de la rive asiatique. En voiture ou en car vous franchirez le détroit de plus haut sur l'impressionnant **pont du Bosphore,** d'une portée de 1074 m. Achevé en 1973, ce premier lien entre les deux continents fut inauguré pour le cinquantième anniversaire de la République turque.

A la sortie du pont côté asiatique, le **Palais de Beylerbeyi,** entouré de jardins, s'il est moins somptueux que Dolmabahçe, provoque lui aussi l'émerveillement par la richesse de son mobilier et l'éclat de ses cristaux. L'actuel édifice a été élevé en 1865 sur l'emplacement d'un précédent palais détruit par le feu.

La route qui longe le Bosphore en direction du nord conduit à **Anadolu Hisarı**; cette forteresse qui fait face à Rumeli Hısarı sur la rive opposée, fut construite par les Ottomans à l'époque où, attendant leur heure, ils resserraient leur étau autour de Constantinople.

Juste dans l'intérieur, quand vous venez du pont du Bosphore, le parc-belvédère de **Çamlıca** offre, outre une retraite bucolique, un beau coup d'œil sur Istanbul. Le vaste cimetière piqueté de cyprès que vous apercevrez, **Karacaahmet,** constitue l'une des plus

grandes nécropoles islamiques du monde. Au sud s'étend **Üsküdar** (plus connu des Européens sous le nom de *Scutari*), faubourg relié par de nombreux bacs à la rive européenne. Là, vous remarquerez l'Iskele Camii (1548) – mosquée élevée par Sinan pour la fille de Soliman, Mihrimah – et la **Nouvelle Mosquée de la Sultane Mère** *(Yeni Valide Camii)*, qui date du début du XVIIIe siècle.

EXCURSIONS

Peu importe le nombre de monuments que vous aurez visités ou la dose de couleur locale dont vous vous serez imprégné: vous ne sauriez prétendre connaître Istanbul sans l'avoir vu depuis un bateau. Les principaux bacs partent de l'embarcadère du pont de Galata, du côté d'Eminönü.

Le Bosphore

Passant d'Europe en Asie puis d'Asie en Europe, les *vapur* blancs remontent sans hâte cette «voie royale» que bordent des collines, avant de virer de bord à l'entrée de la mer Noire. Si certains édifices vous sont déjà connus, vous leur trouverez une tout autre allure et vous constaterez à quel point les bâtisseurs d'autrefois avaient le souci de la perspective.

Le premier point remarquable est la **Kılıç Ali Paşa Camii,** à Tophane, à laquelle succède une immense fonderie de canons du XIXe siècle. Puis apparaît la **Molla Çelebi Camii,** édifiée au milieu du XVIe et qui évoque quelque embarcation de pierre tirée au sec. Le **Palais de Dolmabahçe,** qui surgit ensuite, précède la carcasse du **Palais de Çırağan,** ravagé par le

feu en 1910. En glissant sous l'arche monumentale du **pont du Bosphore,** vous apercevrez le **Palais de Beylerbeyi,** sur la rive asiatique. Ces deux constructions si différentes suggèrent un rapprochement significatif entre l'Empire ottoman, replié sur lui-même dans ses dernières années, et la République turque toute tournée vers l'avenir.

Les Ottomans édifièrent Rumeli Hisari à la hâte, avant de donner l'assaut à Constantinople.

Commence alors la partie la plus pittoresque du trajet. En Asie, à Küçüksu et à Anadolu Hisarı de paisibles petits cours d'eau, que les Européens appelaient «Eaux-Douces d'Asie», apparaissent sous le feuillage sombre. Au-delà se mirent quelques *yalı*, résidences en bois où les Istanbuliotes aisés passaient jadis l'été. Faute de moyens, la plupart des *yalı* furent démolis. Ce groupe et d'autres ont survécu grâce à des hommes d'affaires qui se les disputent pour les transformer en résidences secondaires.

Rumeli Hisarı, sur la rive européenne, et **Anadolu Hisarı**, en Asie, se font vis-à-vis depuis des siècles, là où le détroit se rétrécit. C'est à leur hauteur que le pont Fâtih Sultan Mehmet fut lancé, en 1988. Entre les forteresses et cet ouvrage moderne, l'anachronisme n'est qu'apparent, comme vous le verrez depuis la tour de Sarahan Paşa, à Rumeli Hisarı.

Le bateau touche ensuite **Tarabya** (Europe), localité bien connue pour son atmosphère cosmopolite et ses restaurants de poisson et de fruits de mer. A Beykoz, l'escale suivante sur la rive asiatique, il vous sera loisible de prendre un taxi pour gagner **Şile**, station balnéaire sur la mer Noire, où vous trouverez d'excellentes plages; en Europe, c'est à Sarıyer que vous descendrez si vous voulez pousser jusqu'aux plages de **Kilyos**. Enfin, vous atteindrez Rumeli Kavaği (Europe) et Anadolu Kavaği (Asie), villages assoupis dont les restaurants ont du succès auprès des amateurs de poisson.

La Corne d'Or

Il ne s'agit pas d'une promenade d'agrément au sens habituel du terme, mais d'un coup d'œil sur les «coulisses», autrement dit les quartiers industriels de l'agglomération, usines et chantiers navals se succédant jusqu'à **Eyüp**.

Une fois sur place, suivez la foule qui se rend à la **mosquée** (*Eyüp Sultan Camii*), lieu de sépulture présumé d'Eyüp Ensari, porte-étendard du prophète Mahomet. Venu avec une armée arabe mettre le siège devant Constantinople, Eyüp fut tué par une flèche à une date se situant entre 674 et 678. Sa tombe fut retrouvée à la suite d'une apparition, sur les lieux de laquelle Mehmet le Conquérant éleva un sanctuaire. Puis, en 1458, ce souverain fit édifier une mosquée, la première de celles dont il devait doter Istanbul et l'une des plus saintes du monde islamique. Chaque sultan, lors de son accession au trône, vint y ceindre le sabre dynastique. En 1800, enfin, Selim III fit reconstruire la mosquée.

Il ne manque pas de tombeaux dans les environs, mais la foule tient surtout à révérer Eyüp, inhumé dans un sanctuaire revêtu de faïences que protège une grille dorée. Derrière la mosquée s'étend, à flanc de colline, un immense **cimetière** aux nombreuses vieilles tombes enturbannées. Un sentier serpente jusqu'au «Café Pierre Loti», ainsi nommé en l'honneur de l'écrivain (et officier de marine) français qui, lors de son séjour de 1876, gagna souvent cette hauteur battue par le vent pour rêver devant les lointains minarets d'Istanbul se fondant dans le crépuscule. Un petit musée rassemble des photos de l'époque.

Les îles des Princes

Pour souffler un peu après toutes ces visites, évadez-vous donc vers cette exquise retraite, en mer de Marmara. Des neuf îles, celle de **Büyükada** *(Principio)* est la plus grande et la plus fréquentée. En second lieu viennent celles de **Kinali, Burgaz et Heybeli**. Vous n'y trouverez pas de musées mais vous serez séduit par de belles demeures enguirlandées de glycines et de bougainvillées. Les îles offrent d'autre part de nombreux lieux de baignade. Il vous faudra un jour entier pour les visiter à loisir, mais évitez le week-end, car il semble que tous les Istanbuliotes s'y donnent alors rendez-vous.

Bursa

Le bateau qui dessert les îles des Princes pousse généralement jusqu'au petit port de Yalova, qui est également une station thermale;

de là, vous gagnerez aisément, par voie de terre, Bursa (en français, Brousse). Mais vous avez aussi la possibilité, toujours en partant d'Istanbul, d'effectuer le trajet en avion, voire en autocar dans le cadre d'une excursion. Bursa étant assez éloignée, il est nécessaire d'y passer la nuit.

Le littoral de la mer de Marmara est fortement industrialisé, alors que, dans l'intérieur, le paysage présente des lignes aimables, caractéristiques de cette région, connue dans l'Antiquité sous le nom de Bithynie. Peupliers et noyers croissent dans les vallées, tandis que des oliveraies drapent les pentes; au sud de Gemlik commencent les plantations de pêchers. Suit une large plaine, dominée à l'horizon par l'Ulu Dağ, la «Grande Montagne» (2543 m), toile de fond et rempart naturel de Bursa. Cette ville accueillante et aérée, fondée au IIe siècle av. J.-C. par le roi Prousias Ier, fut tout naturellement dénommée Prousa. Devenue capitale ottomane au XIVe siècle, elle fut supplantée par Edirne au XVe.

L'un de ses monuments les plus marquants est le **Tombeau d'Osman Gazi** *(Osman Gazi Türbesi),* fondateur de la lignée d'Osman et, partant, de l'Empire ottoman. Mort en 1324 à Söğüt, une ville des environs, ce personnage fut inhumé comme il l'avait souhaité à Bursa, dans une ancienne chapelle byzantine. Les plaques de plomb qui couvrent le dôme brillaient autrefois comme de l'argent; avec la draperie brodée d'argent du sarcophage, elles ont valu à ce lieu de sépulture son surnom de «tombeau d'argent». Quant au proche **Orhan Türbesi,** monument funéraire du fils d'Osman, il fut édifié sur l'emplacement d'un monastère. Des vestiges d'un ancien pavement en mosaïque sont encore visibles.

La magnifique **Mosquée Verte** (Yeşil Cami) doit son nom à l'éblouissante beauté de son intérieur, revêtu de faïences d'un vert bleuté. Comme le **Mausolée Vert** (Yeşil Türbe), qui lui fait face, elle fut bâtie au XVe siècle par Haci Ivaz Paşa sur l'ordre de Mehmet Ier.

Les carrières de la «Grande Montagne» ont fourni les matériaux de la **Grande Mosquée** (Ulu Cami), édifiée à la fin du XIVe siècle. Vingt dômes couronnent ce bâtiment; au centre, la fontaine aux ablutions, laissée à ciel ouvert à l'origine, fut finalement protégée par une coupole vitrée.

Prenez aussi le temps d'explorer l'ensemble ordonné autour de la **Mosquée Muradiye,** élevée dans les années 1420 pour Murat II, père de Mehmet le Conquérant et dernier sultan à gouverner depuis Bursa.

La ville conserve un certain nombre de maisons à l'ancienne mode, dotées de balcons en encorbellement. Visitez le bâtiment à étage du XVIIIe siècle, situé en face de la Muradiye, et vous verrez comment les familles riches se meublaient autrefois. A noter, parmi les autres curiosités de Bursa, un marché couvert récemment reconstruit, qui se prolonge en partie dans un caravansérail bordé d'arcades, le **Koza Ham**. Ce dernier, fondé en 1451, est devenu un marché aux cocons de vers à soie.

Des différents thermes que compte la région, les plus remarquables sont ceux de l'**Hôtel Çelik Palas,** qui constituent une merveille de style «Arts déco». Juste à côté, un bâtiment du XIXe siècle, orné de sculptures sur bois, abrite le **Musée Atatürk**.

Deux autres musées, tous deux fermés le lundi, méritent une visite. Le **Musée des arts turcs et musulmans** (Türk ve Islam Eserleri Müzesi) est logé dans la medersa de la Mosquée Verte. Le **Musée archéologique** (Arkeoloji Müzesi), situé dans le parc de la Culture, renferme nombre d'objets des époques archaïque, hellénistique, romaine et byzantine.

Le Mausolée Vert rappelle que Bursa fut capitale ottomane.

Troie (*Truva*)

Du fait de sa situation à l'extrême nord de la Côte égéenne, le site est tout aussi facilement accessible d'Izmir ou de Bursa que d'Istanbul. A partir de Çanakkale, le principal centre régional, des agences de voyages organisent des excursions à destination de Troie. Les hôtels balnéaires de Güzelyah, au sud de Çanakkale, fournissent des gîtes d'étape tout trouvés, à partir desquels on atteint commodément les ruines de cette fabuleuse cité.

A **Hisarlik**, un petit parc marque l'entrée du site; d'ailleurs, l'énorme cheval de bois qui s'y dresse ne saurait passer inaperçu! Pourtant, ceux qui s'attendent à un spectacle imposant ne découvriront que des fouilles d'une étendue limitée. D'après la légende, très vraisemblablement inspirée par des faits historiques, vivait ici un roi épris de paix du nom de Priam, dont le fils, Pâris, fut incité par trois déesses jalouses à enlever la plus belle femme du monde, Hélène, épouse de Ménélas, roi de Sparte. La guerre qui en résulta entre la Grèce et Troie dura dix longues années. Elle prit fin grâce au stratagème des Grecs, qui amenèrent les Troyens à introduire dans leurs murs le fameux «cheval de Troie», dans lequel s'étaient cachés des guerriers achéens. Ceux-ci mirent la ville à sac, ne laissant derrière

eux que des ruines fumantes. En réalité, au fil des siècles, neuf villes se succédèrent sur cet emplacement, depuis le campement primitif du début de l'âge du bronze (Troie I, de 3000 à 2500 av. J.-C.) jusqu'à la métropole hellénistique et romaine d'Ilium Novum, centre marchand de la région des Dardanelles, qui se maintint de 334 av. J.-C. à l'an 400 de notre ère.

La question de la localisation de Troie ne sortit pas du cadre des discussions d'érudits jusqu'au moment où – en 1871 – un archéologue amateur passionné de récits homériques, l'Allemand Heinrich Schliemann, entreprit des fouilles. Quelque désordonnées qu'aient été ses recherches, ce n'en est pas moins à sa foi, à sa fortune personnelle et à son indomptable énergie qu'on doit la mise au jour de Troie.

Si des archéologues américains sont enclins à identifier le niveau Troie VIIa avec la ville de Priam, dont ils placent la destruction vers 1260 av. J.-C., d'éminents spécialistes turcs assimilent cette cité au niveau Troie VI. Hypothèse au reste plus séduisante, car Troie VIIa fut une ville de construction hâtive et sommaire, tandis que la précédente était une belle cité solidement bâtie.

Il est certain que Troie VI correspond mieux à la description que fait Homère d'une ville «aux grands murs, aux grandes tours, aux grandes portes»; cette cité fut d'ailleurs ravagée par un incendie et un séisme. Néanmoins, Troie VIIa présente tous les caractères d'une ville assiégée, avec de vastes magasins souterrains pour les vivres et des abris pour la population; en outre, elle fut détruite à la suite d'une guerre et dévastée par le feu. Pour visiter les fouilles en détail, le mieux est d'engager un guide, encore que le site soit signalisé. Le visiteur le plus indifférent sera sensible à l'atmosphère de drame qui baigne ces pierres rongées par le temps.

La maison de Schliemann a été transformée en un petit musée. Le souvenir de l'archéologue continue à susciter l'enthousiasme et la critique. Car il est vrai qu'il découvrit le «trésor de Priam» – un monceau de joyaux – contre le mur d'enceinte de Troie II; mais, l'ayant dégagé, il l'emporta en cachette. Le trésor a été vu pour la dernière fois à Berlin et il disparut au cours de la Seconde Guerre mondiale.

Sur la côte, des plages splendides bordent le golfe d'Edremit, qu'encadrent à l'est le mont Ida (Kaz Dağı 1770 m) et à l'ouest la gracieuse silhouette de l'île grecque de Lesbos. Ayvalik constitue une villégiature idéale. Plus au sud, Dikili est un pittoresque port de pêche.

LA THRACE

En Thrace orientale, tous les chemins mènent en Asie! La région la plus basse du pays consiste pour l'essentiel en une plaine assoupie sous le soleil. La route se déroule entre d'immenses champs de blé ou de tournesols jusqu'à Istanbul, débouché naturel de cette langue de terre.

La plupart des gens y passent sans s'arrêter, les uns gagnant directement Istanbul, les autres filant vers le sud, par Gallipoli, en direction des plages égéennes. Si, de nos jours, l'Anatolie exerce sa séduction aux dépens de la minuscule Thrace, il n'en a pas toujours été ainsi: il y a six siècles, l'actuelle ville frontière d'Edirne – l'ancienne Andrinople – représentait le cœur spirituel et politique de l'empire ottoman, dont elle fut la capitale quatre-vingt-onze ans durant.

Il est encore bien des lisières de forêts et des secteurs du littoral qui mériteraient plus d'intérêt de la part des touristes. Or, actuellement, les côtes ne sont guère visitées que par les flots de la mer Noire, de la mer Egée et de la mer de Marmara.

Edirne

Une seule journée suffit pour visiter Edirne à son aise. En effet, les principaux centres d'intérêt sont pour la plupart accessibles à pied à partir de Talatpaşa Caddesi, la grand-rue. Le plus beau fleuron de la ville est la **Selimiye Camii**, la mosquée de Selim II, dont les minarets élancés procurent à qui arrive en Turquie en voiture, par la Grèce ou la Bulgarie, une première et inoubliable vision de l'Orient.

Sinan considérait cet édifice comme son œuvre la plus accomplie. A 86 ans, cet architecte, qui avait plus de 500 réalisations à son actif, savait de quoi il parlait! L'une des obsessions de Selim était d'élever une mosquée qui éclipserait Sainte-Sophie elle-même. Sinan se surpassa: le dôme, qui, avec 31,5 m de diamètre, l'emporte sur celui d'*Ayasofya*, est flanqué de quatre minarets pointant à plus de 70 m. Chacune de ces tours comporte trois balcons, afin de rappeler que Selim était le douzième souverain ottoman. Hélas, ce dernier mourut avant l'achèvement de sa mosquée.

Les architectes d'aujourd'hui célèbrent les vertus de l'édifice sur le double plan de l'harmonie et de l'esthétique. Les 999 ouvertures créent une remarquable impression de lumière et d'espace, et même les massifs piliers en pattes d'éléphant qui supportent la coupole sont un miracle d'équilibre et de délicatesse. Remarquez, en face du beau *mihrab* en marbre, le *şadırvan* très orné, en marbre et en bois de pin:

cette insolite fontaine, vouée d'habitude aux ablutions rituelles, est ici réservée aux fidèles assoiffés. Sur la colonne de gauche quand on regarde le *mihrab*, vous distinguerez une tulipe… à l'envers, sommairement sculptée.

Sachez que le terrain choisi, jadis, pour l'édification de la mosquée appartenait à une vieille dame qui y cultivait des tulipes. Peu désireuse de voir son jardin livré aux terrassiers, elle refusa longtemps de le céder, jusqu'au jour où Sinan lui promit que son geste généreux passerait, d'une façon ou d'une autre, à la postérité! Il fit alors sculpter, sur la fontaine, cette tulipe à l'envers, allusion à l'opposition de la dame en question!

Nulle part le goût des premiers Ottomans pour les fleurs n'est aussi sensible qu'à la **Vieille Mosquée** (*Eski Cami*), de l'autre côté de Talatpaşa Caddesi. Couronnée de neuf dômes, la mosquée comporte deux minarets; commencée en 1403, elle fut achevée onze années plus tard. Les motifs floraux, exécutés à l'aide de pigments naturels, sont omniprésents dans la décoration des coupoles.

La merveilleuse Selimiye Camii représente le chef-d'œuvre de l'illustre Sinan.

Un fragment de pierre noire provenant de la Kaaba, la «Maison de Dieu», à La Mecque, est enchâssé dans le mur latéral à la droite du très simple *mihrab*. L'exubérant décor de fleurs peintes pêle-mêle tout autour s'est bien défraîchi et la pierre, que les musulmans touchent pour s'attirer la faveur divine, s'est usée jusqu'à former un creux d'un pouce de profondeur. Mais la mosquée est également connue pour ses spécimens de calligraphie dont, particulièrement exquises, à l'entrée, les inscriptions relatives à Allah et à Mahomet.

Les quatorze dômes miniatures du **Bedesten Çarşısı** bombent derrière la mosquée, dont ce marché couvert dépendait autrefois. Les échoppes qui se serrent dans la longue halle voûtée accueillent de petits artisans.

Retraversant Talatpaşa Caddesi, offrez-vous donc un moment de détente dans le jardin de thé voisin avant d'entamer la visite de la **Mosquée aux Trois Balcons** (*Üç Şerefeli Camii*), reconnaissable à ses quatre minarets dissemblables. L'édifice a résisté à un tremblement de terre, en 1942, mais des lézardes courent au-dessus des puissants piliers hexagonaux. Les quatre colonnes en marbre – dont deux flanquent le *mihrab* et les deux autres précèdent le *minbar* – étaient prévues à l'origine pour pivoter aussi longtemps que l'axe de la mosquée demeurerait vertical! L'une est à présent coincée, par suite d'un séisme; quant aux trois autres, on peut encore les tourner à la main. Avant de ressortir, allongez le cou pour apercevoir les motifs baroques, qui, ajoutés lors de la restauration opérée au XVIIIe siècle, ornent les quatre coupoles les plus petites. Ne manquez pas non plus de voir les magnifiques vantaux du porche, en noyer sculpté.

Un côté moins sérieux de l'œuvre de Sinan est illustré par le **Sokullu Hamamı**, l'établissement de bains le plus célèbre d'Edirne. Ce hammam fut construit à la demande de Mehmet Sokullu, grand vizir de Soliman le Magnifique; ce brillant homme d'Etat conduisit les affaires de l'Empire sous Selim II avant d'être exécuté sur l'ordre de Murat III. Une lumière diffuse tombe des ouvertures ménagées dans les voûtes des vestiaires. Dans l'étuve, vous suerez à loisir en observant les rayons de soleil qui se perdent dans des nuages de vapeur.

Sinan a également bâti l'**Ali Paşa Çarşısı**, sorte de tunnel que se partagent boutiques et simples éventaires; si les jeans sont une concession à la jeune génération, on y vend, depuis quatre siècles et plus, parfums, chapelets et instruments de musique.

Gallipoli *(Gelibolu)*

Bien des visiteurs se rendent en pèlerinage aux cimetières militaires de la presqu'île de Gallipoli – langue de terre parallèle à la côte anatolienne, qui borde le détroit des Dardanelles (l'Hellespont antique) entre la mer de Marmara et la mer Egée.

La Turquie, on le sait, participa à la Première Guerre mondiale aux côtés de l'Allemagne et de l'Autriche. Les opérations des Alliés dans les Dardanelles avaient pour double objectif d'atteindre Istanbul pour contraindre le pays à se retirer du conflit et, en même temps, d'assurer un passage libre de glaces vers la Russie, afin de livrer des armes à celle-ci et d'ouvrir un nouveau front. L'attaque lancée en avril 1915 contre Gallipoli par les forces terrestres et navales franco-britanniques échoua et des milliers d'hommes trouvèrent la mort dans les deux camps. En novembre de la même année, une tempête de neige d'une violence inouïe fit des centaines d'autres victimes, précipitant le retrait des Alliés.

La presqu'île de Gallipoli tout entière n'est qu'un vaste mémorial. Les cimetières, dûment signalés, sont très fleuris. (Les offices du tourisme de Çanakkale, sur la rive anatolienne, et de Gelibolu fournissent une carte où chaque cimetière est indiqué.)

CÔTE ÉGÉENNE

Sans rivale pour le farniente au soleil comme pour la variété de ses sites archéologiques, la Côte égéenne regorge de beautés naturelles. Izmir est un point d'attache tout désigné pour excursionner jusqu'aux ruines antiques. Mais la plupart des vacanciers préfèrent séjourner dans une station balnéaire plus au sud – Kuşadaşı Bodrum ou Marmaris – et rayonner à partir de là.

Pergame *(Bergama)*

Perchée au-dessus de la moderne Bergama, Pergame fut gouvernée à son apogée par les Attalides, qui avaient dû leur accession au pouvoir à un général d'Alexandre, Lysimaque. Trois secteurs attirent essentiellement les visiteurs: l'Asclépieion, la ville basse et l'acropole. Au-dessus de l'entrée de l'**Asclépieion,** l'un des centres de cure les plus réputés du monde antique, figurait l'inscription: «Ici la mort est interdite par ordre des dieux.» Consacré à Asclépios, le dieu guérisseur, et concurrençant les centres analogues d'Epidaure, de Kos et d'Ephèse, l'Asclépieion proposait des bains chauds, des massages, des cures thermales et même une psychothérapie primitive. Galien (130–200), le «prince des médecins», y exerça.

On y accède par une voie monumentale bordée de colonnes. L'Asclépieion comportait une bibliothèque, un théâtre et des toilettes publiques. La «salle de cure», à ciel ouvert, était sillonnée de conduits propageant des bruits d'eau courante (aux vertus jugées thérapeutiques) jusqu'aux patients, dont les rêves étaient ensuite analysés.

Les vestiges de la ville des Attalides s'étagent sur une succession de terrasses artificielles. A proximité du Temple d'Athéna, déesse des Sciences, vous verrez les ruines de la **Bibliothèque pergaméenne,** où on imagina de copier des manuscrits sur des parchemins. Les Attalides réussirent à constituer une collection de quelque 200 000 manuscrits. Mais quand la bibliothèque d'Alexandrie eut brûlé, Antoine fit don à Cléopâtre de tous les parchemins de Pergame.

Sur l'acropole, l'édifice le plus important est le **Trajaneum,** érigé au IIe siècle en l'honneur des em-

pereurs romains déifiés Trajan et Hadrien. A flanc de coteau, le **théâtre,** saisissant par son inclinaison, affecte la forme d'une demi-lune. Le Musée de Pergame, sis dans l'ancien Berlin-Est, conserve une frise remarquable – l'un des plus beaux exemples de sculpture hellénistique, représentant la Bataille des Dieux et des Géants – qui embellissait l'Autel de Zeus, élevé en commémoration de la défaite des Galates, en 190 av. J.-C.

De nombreux spécimens d'offrandes votives dédiées à Asclépios sont exposés au **Musée archéologique** de Bergama, à côté d'autres trouvailles provenant de la région.

Izmir et ses environs

Cette cité bouillonnante, fréquemment désignée par son nom grec (francisé) de Smyrne (*Izmir* en turc), est bien desservie tant par air que par terre ou par mer. Si vous arrivez par le nord en voiture, faites un détour par les superbes petites stations balnéaires de Yeni Foça et Eski Foça. Cette dernière occupe l'emplacement de l'antique Phocée, qui a fondé, entre autres colonies, Massalia (Marseille). Par route ou par mer, l'arrivée dans la troisième ville de Turquie, qui s'étale au fond d'un golfe splendide, ménage un coup d'œil inoubliable.

La place du Konak, où bat le cœur d'Izmir.

Des colons éoliens se fixèrent au nord de ce golfe au Xᵉ siècle av. J.-C., avant d'être remplacés par des Ioniens, eux aussi originaires de la Grèce continentale et promoteurs d'une civilisation brillante. On sait que le poète Homère serait né à Smyrne. Plus tard, Alexandre le Grand, visitant la cité, en fonda une nouvelle – à la suite d'un rêve – sur les pentes du mont Pagos. A l'arrivée des Ottomans, ceux-ci autorisèrent les Européens à établir des comptoirs: Izmir prospéra en exportant les produits de son arrière-pays, dont les figues et le tabac, et demeura un des ports levantins les plus florissants jusqu'à

75

sa destruction quasi totale par le feu en 1922, à la fin de la guerre gréco-turque. Dûment reconstruite, la cité actuelle, qui compte 800 000 habitants, est plus animée que jamais, mais elle ne conserve guère de traces de son passé.

Partant du port, un large boulevard, l'Atatürk Caddesi, ou «Kordon», constitue un beau front de mer au cœur de la ville. D'élégants *fayton* emmènent les touristes faire un tour par Cumhuriyet Meydam (place de la République), où trône une statue équestre d'Atatürk, en finissant par la place du Konak. La Konak Camii, une minuscule mosquée, fut construite en 1756. A proximité, vous remarquerez l'emblème de la ville, une tour d'horloge tarabiscotée, érigée en 1901. Les transbordeurs locaux desservent le Konak.

Par une passerelle, gagnez le **bazar,** certes moins captivant que celui d'Istanbul, mais non moins encombré de tous les articles nécessaires à la vie quotidienne. Incomparablement moins animé, le marché romain, ou **agora,** créé au IIe siècle, forme un coin idyllique où s'élèvent les restes d'une colonnade. Des statues de divinités sont groupées dans l'angle nord-ouest, mais les plus belles trouvailles ont été transférées au **Musée archéologique** (*Arkeoloji Müzesi*), au parc de la Culture.

Kadifekale, le Château de velours, veille sur Izmir. De cette citadelle, qui coiffe une éminence au sommet plan (le mont Pagos des Anciens), vous jouirez d'une vue exceptionnelle.

Sardes (*Sart*)

Jadis capitale de la Lydie, Sardes fut autrefois la ville la plus riche du monde. Il devait tout naturellement revenir aux Lydiens d'inventer les pièces de monnaie – des pièces frappées en général d'une tête de lion, emblème de leurs souverains. Sous le règne de leur dernier roi, Crésus (560–546 av. J.-C.), on monnayait de l'or et de l'argent purs. Le Pactole, la petite rivière locale, roulait en effet de l'or; Hérodote rapporte à ce propos que des paillettes du précieux métal se prenaient dans la toison de peaux de mouton étalées au fond de l'eau, ce qui donna naissance à la légende de la Toison d'or. La prise de Sardes par les Perses mit fin à la monarchie lydienne.

Le village moderne de Sart s'est fixé près des ruines antiques, dont le vestige le plus imposant est le **Temple d'Artémis.** Cet énorme édifice, auquel s'adosse une église byzantine du Ve siècle, possède quelques-uns des plus beaux chapiteaux ioniques jamais exhumés. Au dessus, une grimpée assez rude permet d'accéder à l'acropole.

De l'autre côté de la route, en venant du temple, une majestueuse synagogue du IIIe siècle a été restaurée à l'aide de fonds américains, tout comme les vestiges des boutiques établies contre ses murs. Ces constructions faisaient partie d'un ensemble qui englobait un gymnase.

Manisa

Non loin, l'antique Magnesia ad Sipylum devint la capitale de l'Empire byzantin pour une courte période, au XIIIe siècle, lorsque l'empereur s'y retira afin d'échapper aux croisés. Les Magnètes revendiquaient l'honneur de descendre des premiers Grecs établis en Asie. Cependant, en ces lieux, les vestiges classiques sont à peu près inexistants. Vous verrez néanmoins plusieurs beaux édifices religieux de l'époque ottomane, dont l'un a été transformé en musée.

Au printemps et en été, les flancs du mont Sipyle se couvrent de fleurs sauvages. On y trouve en particulier la «tulipe du Sipyle»: de là provenaient les premières tulipes, appelées à devenir la fleur favorite des Ottomans. Au pied de la montagne subsiste un bas-relief de Cybèle, déesse mère de l'Anatolie.

Colophon

Pour atteindre ce petit site par la route, il faut passer par De'ir-

mendere, au sud d'Izmir. Les Colophoniens furent en leur temps extrêmement riches, se vêtant de robes pourpres et s'inondant de parfum pour se rendre au marché. Cette conduite extravagante, alliée à des habitudes de gloutonnerie, devait entraîner la chute de leur ville. A la longue, Colophon s'unit à Notion, son port, qui prit dès lors le nom de Néocolophon. De ces deux endroits, il ne subsiste que de rares vestiges.

Quant à **Claros,** ce n'était pas une ville, mais le site d'un temple où prophétisait Apollon, sanctuaire dont la proximité fut à l'origine de la richesse de Colophon. Si ce temple a été dégagé, ses restes gisent en partie dans le lit d'une rivière.

Téos n'est pas un but d'excursion très couru, mais le coin est si ravissant qu'il mérite une visite. Tournez à Seferihisar et gagnez le village de Si'acik, puis roulez à travers des orangeraies en direction de la mer, constellée d'îles. Vous aurez l'impression de découvrir vous-même un site archéologique. Là, il n'y a ni guichet ni souvenirs et presque sûrement aucun autre touriste. L'antique agora est devenue un champ de melons, et des liserons s'enroulent autour des blocs de ce calcaire bleuâtre de Téos que l'on extrait toujours près de Seferihisar. Du site, la route descend jusqu'à la mer.

Çeşme

Cette petite localité est le plus beau fleuron de la presqu'île fourchue qui pointe à l'ouest d'Izmir. Le frais badigeon des maisons devient plus aveuglant quand souffle l'*imbat*, cette vivifiante brise marine qui fait flotter les tapis colorés contre les balcons des boutiques. Mais les **plages** constituent le principal attrait de l'endroit. Le village de vacances du Dauphin d'or possède l'un des rares casinos de Turquie. Il existe beaucoup d'autres hôtels autour de la baie de Boyalik et même une piscine thermale, à Ilıca.

Les alentours n'offrent que peu de monuments. Çeşme possède un

La Côte égéenne, paradis à la fois des pêcheurs... et des cigognes.

modeste fort génois du XIVe siècle et un caravansérail assez imposant. Distant d'environ 22 km, Ildir occupe le site de l'antique cité d'Erythrée, mais, là encore, la beauté du lieu l'emporte sur les vestiges.

Kuşadası et ses environs

Quelques cigognes nichent sur de vieilles colonnes, le long de la route qui conduit d'Izmir à Selçuk et **Kuşadası.** En dehors d'un fort sis sur l'îlot de Güvercin Adası et d'un caravansérail du XVIIe siècle transformé en hôtel, Kuşadası ne conserve que de maigres ruines. Mais on ne saurait rêver meilleur endroit pour se livrer aux joies de la plage, tant la mer y est cristalline.

Ephèse, l'une des cités égéennes les mieux préservées et les

Célèbre par son acoustique, le théâtre d'Ephèse est l'un des plus beaux du monde antique.

plus visitées, est située à 17 km dans l'intérieur. Bien d'autres vestiges parsèment la campagne, car cette contrée, l'Ionie, déjà célèbre dans l'Antiquité par l'harmonie de ses paysages, la douceur de son climat et la luxuriance de ses vallées, le dispute à la Grèce elle-même pour le nombre des monuments.

Ephèse *(Efes)*

De Selçuk, il suffit de quelques minutes, en suivant une avenue bordée de mûriers, pour atteindre les ruines de l'une des plus importantes cités du monde antique. Fondée dès avant le Xe siècle av.

J.-C. par des Grecs d'Ionie, Ephèse fut gouvernée à tour de rôle par Crésus, roi de Lydie, Cyrus, roi des Perses, et les Attalides, souverains de Pergame. Le dernier de ceux-ci légua Ephèse à Rome (voir p. 21). A son apogée, la cité comptait 200 000 habitants. Des caravanes de chameaux y apportaient les trésors exotiques de l'Orient, tandis que l'Occident – la Grèce – la

pourvoyait en divinités nécessaires au culte. La plus vénérée d'entre ces déités était Artémis (ou Diane), dont le personnage de vierge chasseresse en vint à prendre le rôle d'une déesse anatolienne de la Fécondité, Cybèle. Le grand Temple d'Artémis était l'une des Sept Merveilles du monde.

Tant au point de vue intellectuel et spirituel que sur le plan commercial, Ephèse s'est affirmée comme une cité éminente entre toutes. Mais sa grandeur reposait sur son port, dont l'ensablement, au IIIe siècle, entraîna le déclin. Le site fut redécouvert en 1869 par un ingénieur et archéologue anglais, Wood. La plupart des vestiges datent de l'Empire romain.

La visite débute habituellement à la Porte de Magnésie. L'**odéon,** en excellent état de conservation, et, à côté, le **prytanée,** siège du gouvernement de la cité, se trouvent non loin, sur la droite. Les deux statues d'Artémis visibles au musée d'Ephèse furent découvertes dans les ruines du prytanée. Suivez ensuite la voie des Courètes, dallée de marbre. Le Temple de Domitien et le **Temple d'Hadrien** étaient consacrés à ces empereurs divinisés. Quant aux Thermes de Scholastikia, contigus au Temple d'Hadrien, ils formaient un vaste ensemble comportant même un lupanar.

La **Bibliothèque de Celsus,** dont la restauration tient du miracle, fut bâtie au IIe siècle par un consul romain pour servir de tombeau à son père et en perpétuer la mémoire. Des conduits d'aération passaient derrière les niches où l'on rangeait les manuscrits, afin de préserver ces derniers de l'humidité.

Le **grand théâtre,** adossé au mont Pion, pouvait accueillir 25 000 spectateurs. Les amateurs d'art dramatique et de musique l'emplissent encore chaque printemps à l'occasion du Festival d'art d'Ephèse. Une majestueuse voie, l'**Arcadiané,** reliait le théâtre au port antique. Derrière le **gymnase,** vous découvrirez les restes de l'**Eglise double de la Vierge.** La basilique romaine primitive fut affectée à un usage commercial avant d'être transformée en église, sur les ruines de laquelle deux autres églises devaient être élevées ultérieurement.

Une charmante légende s'attache à la **Grotte des Sept Dormants,** située entre Ephèse et Selçuk, au pied du mont Pion. Elle raconte l'histoire de jeunes chrétiens persécutés qui y dormirent deux siècles durant. Quand ils se

Expérience à ne pas manquer, une baignade dans l'univers «glacé» de Pamukkale.

réveillèrent, le christianisme était devenu religion d'Etat…

La petite ville de **Selçuk,** à 4 km d'Ephèse, possède plusieurs monuments remarquables. Ruinée, la **Basilique de Saint-Jean,** du VIe siècle, s'élève à l'endroit où l'apôtre passa ses dernières années et mourut. Erigée en 1375, la **Mosquée d'Isa Bey** est sise au pied d'une colline couronnée par une forteresse rébarbative d'époque byzantine.

La *Maison de la Sainte Vierge (Meryemana)* se trouve en dehors de Selçuk, sur l'ancien mont Coressos (l'actuel Bülbüldai). C'est ici que Marie aurait fini ses jours. Les fondations de la présente habitation semblent en tout cas dater du Ier siècle et sa localisation fut rendue possible il y a un siècle par les révélations de la visionnaire allemande Anna Katharina Emmerich.

Vers Pamukkale

De Kuşadası ou d'Izmir il est possible de gagner Pamukkale, dans l'intérieur. Comme une telle excursion s'avère fatigante, tâchez de passer la nuit là-bas, tout en profitant des eaux thermales, et saisissez l'occasion de visiter Aphrodisias, l'un des sites antiques les plus intéressants du pays.

La route suit l'opulente vallée du Menderes, fleuve que les Grecs appelaient Méandre. Après Kuyu-cak, prenez à droite pour gagner **Aphrodisias,** distant de 38 km. Dans le lointain se dessine le Baba Dagi la «Montagne du Père».

Le site archéologique dépend du village de Geyre. Le musée local mérite une visite pour ses statues cultuelles d'Aphrodite (la Vénus des Romains). S'il reste peu de chose du temple de la déesse de l'Amour, le **stade** est peut-être le plus beau du monde antique; d'une longueur de 228 m et d'une capacité de 30 000 places, il est encore utilisé à l'époque du festival local.

Le théâtre, récemment mis au jour, le cède en séduction au petit **odéon,** qu'agrémente une pièce d'eau en demi-cercle, dans un cadre empreint de poésie, bien digne d'Aphrodite.

Laissant sur votre gauche la route de Laodicée, vous continuerez vers le nord par la grand-route. A l'autre bout de la plaine, voici, tel un palais d'albâtre étincelant supporté par des stalagmites, Pamukkale, le **Château de coton.** Des sources chaudes et calcaires jaillissant du Çal Daği sont à l'origine de cette prodigieuse falaise enrobée de concrétions, dont les vasques festonnées et les cascades figées semblent avoir été sculptées dans de la glace par la main de quelque fée.

Au-dessus de Pamukkale, vous gagnerez Hiérapolis, la «Villesainte», ainsi nommée en raison du nombre de ses temples; ceux-ci sont de nos jours remplacés par des hôtels, où vous pourrez vous baigner dans des bassins naturels alimentés en eau chaude. Vous vivrez une expérience unique à l'Hôtel Turizm, qui renferme la **Fontaine sacrée,** hantée par maintes divinités aquatiques: porté par l'eau, vous glisserez au-dessus des blocs de marbre cannelés et des chapiteaux corinthiens brisés qui en jonchent le fond.

Les vestiges de Hiérapolis comprennent des thermes romains, un théâtre et une vaste nécropole qui passe pour receler la tombe de l'apôtre Philippe. Avant de regagner la côte, ne manquez pas de visiter l'**Ak Han,** un caravansérail seldjoukide du XIIIe siècle.

Autres sites antiques

Sur la côte ionienne entre Kuşadası et Bodrum, il y a trois sites importants, assez voisins pour que vous puissiez les visiter dans la même journée.

Priène (*Güllübahçe*), jadis l'un des ports les plus actifs de la Confédération ionienne, est aujourd'hui situé à plusieurs kilomètres de la mer en raison de l'alluvionnement provoqué par le Menderes. Il s'agit d'une cité essentiellement hellénique, intéressante par son plan en damier.

Le grand **Temple d'Athéna** a conservé plusieurs de ses colonnes ioniques. Il était encore en construction lorsque Alexandre le Grand, passant par là en 334 av. J.-C., en finança l'achèvement. Les autres principaux édifices sont le théâtre, un temple dédié à Zeus et le bouleutérion (siège du sénat local); après une assez courte montée, vous atteindrez le Sanctuaire de Déméter et Coré (Perséphone), le plus ancien lieu sacré de Priène.

De nos jours, **Milet** domine des marais mélancoliques où à la tombée de la nuit coassent les grenouilles, qui semblent déplorer la chute de cette cité, l'une des principales métropoles du monde grec. Aux VIIIe et VIIe siècles av. J.-C., Milet essaima près de cent colonies. De nombreux vestiges sont régulièrement inondés, mais le théâtre gréco-romain demeure magnifique.

Didymes (*Didim*) consiste en un unique monument, le Temple d'Apollon. Il n'exista jamais de ville à cet endroit, seulement ce colossal sanctuaire, l'un des plus grands et des plus élégants du monde antique. Quand les Perses, commandés par Darius, détruisirent Milet en 494 av. J.-C., ils n'épargnèrent pas non plus Didymes. La reconstruction du temple, qui s'étendit sur plusieurs siècles, ne fut jamais achevée.

Bodrum

La ville se détache sur une mer incroyablement bleue. Les cubes des maisons aux toits en terrasses sont d'un éclat presque insoutenable sous le soleil brûlant, avec leurs murs blancs tout enguirlandés de bougainvillées. Des yachts luxueux se serrent dans le port de plaisance, et une foule cosmopolite envahit les rues et les night-clubs. Une ambiance de bohème internationale agrémente ce Saint-Tropez turc.

Sous son antique non d'Halicarnasse, Bodrum fut la capitale de l'ancienne Carie. Hérodote, le Père de l'Histoire, y vit le jour. Mausole en fut le plus célèbre souverain; bâti vers 355 av. J.-C., son mausolée (le mot vient de son nom) était d'ailleurs l'une des Sept Merveilles du monde.

En dehors des vestiges du théâtre et des fragments du mur d'enceinte, le seul monument antique qui subsiste est le **Mausolée,** et encore en reste-t-il peu de chose (son emplacement est à présent occupé par un musée en plein air).

Ce monument ayant été détruit par un séisme, ses matériaux furent remployés au XVᵉ siècle par les chevaliers de Rhodes lors de l'édification du **Château Saint-Pierre,** lequel domine toujours le port et la ville. Cette prodigieuse forteresse, qui abrite aujourd'hui un musée étonnant, fut élevée à l'époque où les hospitaliers de Saint-Jean-de-Jérusalem se virent contraints par

Le château de Bodrum, tout auréolé de sa gloire médiévale.

Tamerlan à abandonner Smyrne (1402). Ses différentes tours rappellent, par leur nom, les «nations» dont relevaient les chevaliers. Citons ainsi les tours française, italienne, anglaise, allemande. De là-haut, le regard plonge sur les chantiers navals – spécialisés dans la construction de yachts luxueux.

Si Bodrum n'est pas l'endroit idéal pour s'adonner à la natation, il ne manque pas de plages paradisiaques aux alentours. Des bateaux d'excursion partent à 9 ou 10 h et rentrent vers 18 h, après avoir effectué la tournée des plages jusqu'à Karaincir.

Le site antique de **Cnide** (*Knidos*), de l'autre côté de la baie de Gökova, sur la presqu'île de Marmaris, peut être visité dans le cadre d'une croisière d'une journée. Il est également possible d'accomplir une croisière plus longue dans la baie de Gökova, entre Bodrum et Marmaris, et des bacs desservent l'île (grecque) de Kos, au large de Bodrum. Iles désertes et belles plages: serait-ce là le paradis?

Au marché de Bodrum, on vous proposera toutes sortes de fromages délectables.

Marmararis

Sur le rivage léché par une mer translucide et bordé de sombres conifères contrastant avec la pâleur des lauriers-roses, cette pittoresque station respire la paix. D'amusantes voitures tirées par des mini-tracteurs vous conduiront jusqu'aux plages voisines; des bacs sillonnent la baie, dont le littoral, des plus échancrés, présente des sites grandioses. La localité est desservie par l'aéroport de Dalaman, situé à une centaine de kilomètres à l'est. Ajoutons qu'en bac vous atteindriez l'île (grecque) de Rhodes en trois heures seulement.

Peu de vestiges rappellent que Marmaris est l'antique Physcus, possession du royaume de Carie. Son fort génois date du XVIe siècle. Peu ou pas de ruines, donc, mais de charmantes maisonnettes turques et suffisamment de restaurants et de discothèques pour que personne ne risque de s'ennuyer une fois le soleil couché! C'est naturellement sur les quais, où l'ambiance s'avère turbulente et sympathique, que bat le cœur de Marmaris. L'endroit est idéal pour des vacances en famille.

Couverte de pinèdes, la presqu'île de Marmaris sépare la mer Egée et la Méditerranée. Sans doute pousserez-vous jusqu'à Datça, village établi sur cette langue de terre, à l'ouest.

CÔTE MÉDI-TERRANÉENNE

Sur cette côte, qui mérite bien son surnom de «Côte turquoise», vous irez d'étonnement en étonnement: pinèdes odorantes, ports de plaisance des mieux aménagés, sites idéaux pour la pratique du surf avec, en prime, de merveilleuses échappées sur la Méditerranée.

Tout au long d'un littoral sinueux se déroulent des paysages grandioses dont la toile de fond est constituée par les chaînons méridionaux du Taurus; en effet, ces montagnes, qui limitent le plateau anatolien au sud, dominent constamment la mer. Des traînées de neige, tout là-haut, vous rappelleront que l'hiver existe malgré tout… ailleurs!

Qu'il s'agisse de la Lycie, de la Pamphylie ou de la Cilicie, la région baigne dans l'histoire. La découverte de ruines antiques est ici synonyme de détente et non d'effort.

De Fethiye à Phasélis

Malgré tous ses efforts, **Fethiye** n'a pas encore réussi à prendre cet air policé qu'arbore Marmaris. C'est, au vrai, une modeste ville qui, tournant le dos à la pleine mer, se blottit au bord d'un havre naturel où quelques rides brouillent le miroir des eaux. La nuit, des échos de musique populaire rôdent sur le front de mer. Le matin, la brume, en montant, dévoile une rade tranquille parsemée d'îles.

Fethiye n'est autre que l'antique Telmessos. Des tombes lyciennes sont encore visibles… en pleine ville. En escaladant à pied les falaises, vous gagnerez les imposants **tombeaux rupestres,** assurément ceux de personnages importants; certaines sépultures sont dotées de colonnes ioniques et de façades typiques des maisons en bois des anciens Lyciens. Une inscription signale le tombeau du roi Amyntas (IVe siècle av. J.-C.). Le château en ruine fut édifié par les chevaliers de Saint-Jean.

La grande attraction du coin est cependant l'**Ölü Deniz,** lagune idyllique barrée par une langue de terre qui porte une plage longue de près de 2 km. Des eaux calmes, idéales pour la baignade, une grève sablonneuse bordée de pins et un choix de logements de vacances, tout cela draine des flots de visiteurs. Des minibus du genre *dolmuş* font (en 15 min) la navette entre Fethiye et sa lagune. Histoire de vous délasser un peu, louez donc un bateau et partez explorer la baie (*körfezi*) de Belceğiz, en particulier l'île de Gemile, qui conserve des ruines byzantines.

Fethiye possède sa propre plage, **Çalış** (à 10 min en *dolmuş*), qui s'enorgueillit de ses restaurants, discothèques et campings. De là, vous apercevrez **Şövalye** («Chevalier», à 20 min en bateau), l'une des îles qui parsèment le golfe de Fethiye. A 13 km au nord, les baies de Katrancı et de Günlük – également dénommée **Küçük Kargı** – comportent cabines de bain et douches.

De Dalyan, à l'ouest de Fethiye, vous devriez aller visiter les vestiges d'une cité carienne qui fut importante vers 400 av. J.-C.: **Caunus** (*Caunos*). Pour ce faire, vous affréterez un bateau; l'aller-retour prend trois heures environ. Comme Caunus s'élevait à la frontière de la Lycie, ses ruines trahissent tout naturellement l'influence culturelle de sa voisine. Outre un théâtre bien conservé, vous remarquerez les restes de l'acropole. Mais plus intéressants sont les tombeaux

Aucun bateau à moteur ne vient troubler les eaux paisibles de l'Ölü Deniz.

lyciens, creusés très haut dans la falaise.

Xanthos est également bien connu pour ses tombes lyciennes; celles-ci présentaient autrefois des reliefs, à présent remplacés par des moulages.

Kalkan et Kaş

A l'est de Fethiye, **Kalkan** se blottit au fond d'une baie fermée par des falaises. C'est un joli port de pêche sans grand intérêt, mais qui avoisine plusieurs grottes marines, accessibles en canot à moteur. La principale de ces cavités, la Grotte bleue, ne saurait certes rivaliser avec son illustre homonyme à Capri; cela dit, les paysages, au-delà, évoquent par leur splendeur l'Italie du Sud. Parvenu à près de 1000 m d'altitude, au-dessus de Kaş, vous jouirez d'une vue saisissante sur les îles.

Kaş était il y a quelque 2500 ans, sous le nom d'Antiphellos, un port lycien des plus prospères. L'endroit connaît de nos jours une nouvelle vogue, grâce à son port – peu encombré – qu'encadrent des constructions toutes blanches. Ici, décontraction rime avec animation, et les cafés, sous les ombrages, ne désemplissent pas. Entouré d'oliviers, le théâtre hellénistique n'est pas si mal conservé. La population locale venait jadis s'y divertir. Autres temps, autres mœurs, les

Un littoral qui ne manque pas de tombeaux rupestres (Myra)

gens préfèrent aujourd'hui les joies de la plage! Des **sépultures rupestres** d'origine lycienne, taillées dans les falaises, subsistent à l'est de Kaş et un sarcophage isolé, à demi immergé, gît près du rivage.

Des excursions en bateau d'une durée de huit heures touchent l'île de **Kekova**, à 29 km de Kaş. Vous y verrez les ruines d'une église byzantine ainsi que des sarcophages immergés. A midi, vous déjeunerez au village d'**Üçağız,** dont l'acropole recèle nombre de tombes. **Kale,** aux alentours, possède un théâtre aménagé dans les restes de son château.

Le littoral est d'une rude beauté. Si vous désirez vous baigner, rendez-vous à **Patara,** aux portes de Kalkan, ou à **Kaputaş,** crique qui s'ouvre de l'autre côté quand on va vers Kaş. Là, la route tourne brusquement et s'agrippe à la falaise pour franchir un ravin d'où un escalier de près de 200 marches permet de descendre jusqu'au sable.

Kale

Une route escarpée dévale jusqu'à cet autre Kale (autrefois Demre), lequel se signale par des serres délabrées, débordantes de tomates et d'aubergines. C'est miracle,

dans une contrée aussi aride, que le maraîchage connaisse pareille réussite! Mais Kale est surtout la «patrie» de saint Nicolas. Né en réalité à Patara au IVe siècle, il fut en effet évêque de Myra, dont Kale occupe l'emplacement.

Le jardinet ombreux qui s'ouvre à la porte de l'**Eglise du Père Noël** (*Noel Baba Kilisesi*) est orné d'une statue en fibre de verre, peinte en noir, de Nicolas; entouré d'enfants, l'évêque porte une hotte pleine de présents. L'église, de style byzantin, n'a été bâtie qu'après sa mort. Une aile abrite la tombe du saint, dont les restes, dérobés par des marchands italiens, furent transférés à Bari en 1087. Or ces marchands, dans leur hâte, laissèrent quelques ossements – dûment conservés désormais au musée d'An-

talya. A noter qu'un pilier portant une inscription fut replacé la tête en bas lors d'une restauration.

Kale, qui commémore chaque année (le 6 décembre) l'anniversaire de la mort de Nicolas, organise pour la circonstance un symposium ainsi qu'un festival: musique, danse et distribution de cadeaux sont au programme.

En un quart d'heure de marche, vous accéderez aux **tombeaux rupestres** de Myra, établis à flanc de montagne. Quand vous franchirez un fossé d'irrigation, tâchez de repérer, dans les broussailles, une plaque ornée de trois masques de théâtre en relief; elle provient du splendide **amphithéâtre** romain de Myra. Quant aux tombes, disposées les unes à côté des autres, elles évoquent quelque façade d'immeuble.

Loin du Grand Nord

Le Père Noël est né – le saviez-vous? – dans le sud de la Turquie, loin des neiges de la Laponie.

Evêque de Myra, Nicolas s'acquit une belle réputation de générosité. Un ancien dignitaire du coin, qui avait trois filles, ne pouvait à la suite d'un revers de fortune marier son aînée. Ayant appris par hasard qu'une sœur de cette dernière offrait de se vendre afin de réunir la dot nécessaire, Nicolas lança discrètement, par une fenêtre, une bourse d'or dans la maison du dignitaire. Mieux, répétant son geste, il permit aux trois sœurs de s'établir.

Devenu l'un des saints les plus populaires, Nicolas fut choisi comme patron des enfants, des marins, des marchands et des prêteurs sur gages (dont l'emblème comporte trois boules dorées, allusion aux trois bourses d'or). A l'occasion de sa fête, célébrée le 6 décembre en de nombreux pays européens dont l'Allemagne, saint Nicolas revient pour distribuer des cadeaux aux enfants...

94

Olympos

Ne traversez pas le port de pêche de Finike – l'antique Phoenicus – sans y acheter des oranges, spécialité des environs. De là, vous gagnerez en moins d'une heure en voiture les ruines d'Olympos. Pour les onze derniers kilomètres, vous emprunterez une route secondaire qui mène au site antique, à l'embouchure d'un cours d'eau peu profond; ce dernier alimenta la vieille cité en eau fraîche et surtout, en offrant un havre naturel, fit la fortune du négoce local. Olympos, vers 100 av. J.-C., était un membre influent de la Ligue lycienne. Cependant, sa prospérité ne survécut guère à un raid mené par des pirates.

Du **temple,** il ne reste rien, sinon un porche ornementé et un pan de mur. Un socle de statue porte une dédicace à l'empereur Marc Aurèle (à l'époque, la région était romaine depuis un siècle). La **nécropole** compte 200 tombes – nombre d'entre elles étant des chambres voûtées et décorées. Plusieurs de ces tombes abritaient un oracle. Le consultant, qui d'ordinaire sollicitait un conseil avant d'entreprendre un voyage, devait tirer une lettre de l'alphabet. Il aurait pu tout aussi bien jouer à pile ou face, car les 24 réponses possibles, rédigées en vers et dont chacune commençait par une lettre différente, se réduisaient à l'alternative suivante: «Reste chez toi» ou «Pars.»

De la vaste plage de galets, vous découvrirez l'Olympos (Tahtalı Dağ, 2377 m). Cette montagne, à laquelle la cité antique doit son nom, est indissociable du célèbre **Yanar,** flamme qui signale une émission de gaz naturel et qui, éteinte, se ranime au bout de quelques secondes! Un sentier très raide, au nord-ouest des ruines, permet de voir de près ce phénomène. Probablement le Yanar donnat il naissance au mythe de la Chimère. Tenant à la fois du serpent, de la chèvre, du griffon (et de la femme par son buste), cet «animal» vomissant le feu fut tué par le héros Bellérophon. Aux alentours s'égaillent les restes d'un sanctuaire dédié à Héphaïstos (le Vulcain des Romains), le dieu du Feu.

Phasélis *(Faselis)*

A quelques kilomètres de là sur la route d'Antalya, tout de suite après Tekirova, un cap densément boisé dissimule les ruines de Phasélis, qui fut à son apogée un port actif, fameux pour son essence de roses. La cité fut fondée, en 690 av. J.-C. dit-on, par des colons originaires de Rhodes. Elle ne fut pas épargnée par les pirates mêmes qui avaient terrorisé Olympos, et finit par sombrer dans l'anonymat.

Une piste rocailleuse descend parmi les pins jusqu'à l'**aqueduc** qui alimentait la cité en eau de source. Les vestiges voisins, si l'on excepte les murailles hellénistiques d'une forteresse établie au nord de l'aqueduc, sont d'époque romaine ou byzantine. Poussez à pied jusqu'à une pittoresque clairière au bord de l'eau. Si les galères appartiennent au passé, de nombreux plaisanciers mouillent ici pour la nuit avant de monter au Yanar. Des trois ports antiques, celui du milieu s'est ensablé: une aubaine pour les baigneurs! Alexandre le Grand foula la plage en 333 av. J.-C., alors qu'il se dirigeait vers Pergé, sa future conquête. Les gens de Phasélis l'accueillirent à bras ouverts, lui décernant une couronne d'or.

D'Antalya à Sidé

Les grappes de réverbères à plusieurs branches disséminées le long d'un ample boulevard bordé de palmiers en témoignent: **Antalya** n'est pas une simple station de villégiature. Sa renommée en tant que paradis du tourisme est attestée par une marée de béton blanc, tandis que les vieux quartiers portent les traces d'un passé tumultueux.

Antalya a bâti sa fortune autant sur ses faiblesses que sur ses atouts: pas de liaison ferroviaire avec l'intérieur, mais pas d'indus-

tries polluantes, et pour ainsi dire pas d'hiver. Nonchalamment disposée autour d'un port naturel, elle constitue une agglomération active dont les 250 000 habitants vivent surtout de l'agroalimentaire, l'agriculture représentant la grande richesse de la région.

Les plages s'étirent sur des kilomètres de part et d'autre d'Antalya. A l'est, le littoral dessine des criques qu'enserrent souvent de hautes falaises. **Lara**, la plage la plus tranquille, déroule une vaste et attrayante étendue de sable. A l'ouest, la plage de galets de **Konyaaltı** s'incurve jusqu'à des sables ourlés de pins; le rocher triangulaire qui pointe au large est l'île de la Souris.

L'étrange **Minaret à rainures** (*Yivli Minare*), point de repère remarquable entre tous, se compose de huit demi-fûts accolés, autrefois décorés de faïences bleues. Cette tour, érigée au XIIIe siècle par le sultan Alaettin Keykubat, est le plus ancien témoin de l'art des bâtisseurs seldjoukides.

La **Porte d'Hadrien** (*Hadrianus Kapısı*), qui s'ouvre dans les remparts orientaux de la vieille ville, rappelle que cet empereur

A Antalya, la Porte d'Hadrien, dûment restaurée, a retrouvé son élégance d'antan.

visita les lieux en 130. Des piliers de marbre blanc agrémentent trois arches flanquées de deux tours romaines rectangulaires, dont une a été remaniée par les Seldjoukides.

La mosquée que flanque le **Minaret tronqué** *(Kesik Minare)* est une ancienne église byzantine du Ve siècle, maintes fois restaurée. Le minaret en question fut un jour décapité par la foudre.

Tout près du port, la **Hıdırlık Kulesi** se présente comme une tour trapue qui s'intègre aux remparts d'Antalya. Sa disposition laisse à penser qu'elle servit à l'origine de tombeau à quelque grand personnage romain du IIe siècle.

Encore imprégnées du charme du XVIIe siècle ottoman, les pittoresques ruelles et venelles de la vieille ville – un secteur désormais classé – débouchent sur l'**arrière-port.** Là, des yachts se balancent dans l'ombre des murailles élevées, il y a plus de 2000 ans, par Attale II, roi de Pergame, lequel, en fondant la cité, lui légua son nom, Attaleia. Le **Parc municipal** *(Karaali Parkı)*, où flotte le parfum des fleurs, s'étend en bas d'Atatürk Caddesi. Encadrées par les frondes des palmiers, les montagnes qui se dressent de l'autre côté de la baie campent un décor reposant.

Enfin, le **Musée archéologique** *(Arkeoloji Müzesi)*, situé à 2,5 km à l'ouest du centre-ville, renferme une large sélection d'objets dont les plus anciens remontent au paléolithique. Parmi les mosaïques en provenance de Xanthos, l'une représente une chasse au sanglier (IVe ou Ve siècle apr. J.-C.). Le musée conserve aussi les restes de saint Nicolas.

Termessos

En dépit – ou à cause – du tempérament belliqueux de sa population, Termessos noua, au Ier siècle avant notre ère, des relations spéciales avec Rome. En effet, un traité d'amitié lui garantit une quasi-indépendance, la dispensant même de fournir des cantonnements aux légions. Ils refusèrent ouvertement de faire figurer sur leurs pièces de monnaie l'habituelle effigie de l'empereur!

Les vestiges de Termessos (à 34 km au nord-ouest d'Antalya) sont perchés sur une montagne sauvage qui dépasse 1000 mètres d'altitude. Le **théâtre** offre sur les reliefs environnants une vue qui devait distraire le public antique! C'est à l'**odéon** qu'étaient sacrés les meilleurs sportifs. Parmi les sports pratiqués à Termessos figuraient la lutte, qui tenait la vedette, la course à pied et même les courses de chevaux. Un oracle (voir p. 95) sévissait également en ces lieux, comme en témoigne une inscription sur une porte, dans la voie du Roi. Là, les vers étaient numérotés et il s'agissait de lancer cinq dés à quatre faces.

Une seconde voie, à l'origine bordée de boutiques, alignait de chaque côté 50 colonnes ainsi que des statues à la gloire des champions et des autorités de Termessos. Si ces statues ont disparu, il en reste les socles aux inscriptions encore déchiffrables.

Environnée d'arbres et de blocs enchevêtrés, dans la partie haute du site, la **nécropole** groupe des dizaines de sarcophages et de tombes rupestres. La plupart des sépultures portent des inscriptions – imprécations à l'adresse d'éventuels pilleurs; certaines menacent même d'une lourde amende quiconque troublerait le repos des défunts! Menaces apparemment vaincs: la sépulture qui promet l'amende la plus salée, mise à l'écart, fut remplacée par deux autres tombes.

Pergé *(Perge)*

Il suffit de vingt minutes en voiture pour atteindre ce site antique, à l'est d'Antalya. D'Aksu, une petite route mène droit au **théâtre.** La configuration de cette formidable construction gréco-romaine traduit le soin inhabituel que les bâtisseurs ont apporté à l'aménagement des *parodoi* et des *vomitoria*, passages qui devaient permettre aux 14000 spectateurs de gagner rapidement leurs places. Les Romains ajoutèrent une galerie à arcades, et un nymphée, qui servait de réservoir d'eau, fut construit contre le mur externe. Remarquez les beaux reliefs qui illustrent la naissance de Dionysos, sortant de la cuisse de Zeus. Admirable mépris pour les lois de la nature, dont seuls les dieux s'avéraient capables!

Long de 234 m, le **stade,** qui résonnait jadis des clameurs de quelque 15 000 spectateurs, est bien conservé, même s'il a perdu son entrée ornementale. Certaines des arcades aménagées sur son pourtour abritaient des boutiques à l'époque romaine.

Le tour du site prend une heure environ. Sur place, un «café» en plein air, bien pourvu en boissons fraîches, vous fournira l'occasion d'une halte bienvenue, à l'abri du soleil.

Aspendos

Le site tire sa gloire de son théâtre romain, sans doute l'un des mieux conservés qui soient. Aspendos est facilement accessible, à 49 km d'Antalya; la route, dans les deux derniers kilomètres, suit en partie le cours du Köprü (ne manquez pas, à propos, le pittoresque pont en dos d'âne, d'époque seldjoukide). Un conseil: gardez la visite du théâtre pour la bonne bouche: en commençant par lui, peut-être

seriez-vous tenté, la fatigue aidant, de négliger les autres ruines.

Alors que le théâtre s'adosse à la première colline, les principaux bâtiments d'Aspendos (en particulier la basilique, le marché et l'agora) se groupent sur la seconde. Vous apercevrez, au-dessous, les restes d'un aqueduc qui franchissait la vallée. Cet ouvrage fut réalisé, au IIᵉ siècle, grâce à une dotation spéciale, ce qui explique le raffinement inhabituel de sa conception: captée dans les montagnes, l'eau était ainsi canalisée sous pression. Nombre de tombes et de monuments funéraires ont été dégagés près du stade. Les plus belles pièces ont été remises au musée d'Antalya.

Construit au IIᵉ siècle, le **théâtre** accueillait commodément plus de 15 000 personnes, dont plus d'une a gravé son nom sur le dossier de son siège. Un escalier intérieur monte jusqu'au *diazôma*, large promenoir qui sépare les 40 gradins en deux secteurs, inférieur et supérieur. L'édifice a fait l'objet d'une restauration que son souci du pittoresque, trop manifeste çà et là, empêche d'être tout à fait convaincante.

Pergé: relief dédié à Artémis, soeur d'Apollon, que les Anciens identifiaient à la Lune.

On connaît peu d'exemples de théâtres aussi achevés. En outre, le mur du fond ayant subsisté, l'acoustique s'avère si remarquable que, assis en haut, vous percevrez une conversation chuchotée à l'orchestre. De la couronne, le regard embrasse la vallée, qui s'étire, telle une piste d'envol abandonnée que ne fréquentent guère que les cigognes de passage. Les champs, au-delà, furent l'un des lieux de méditation préférés d'un tenant de l'école cynique, Diodore, qui préférait une vie simple à la vanité des plaisirs d'ici-bas.

Manavgat

Arrêtez-vous, le temps de souffler un peu, à Manavgat, célèbre pour ses chutes. Cascades modestes, au demeurant, et plutôt comparables à des rapides. Ceci dit, l'endroit exhale un charme certain.

Les chutes (*Şelale*) sont situés à la sortie de Manavgat, prospère ville touristique de 30 000 habitants, qui était encore un village il y a seulement vingt ans. Un flot incessant de visiteurs emprunte la passerelle qui mène à une portion de berge en partie pavée. Sous les arbres, des tables et des chaises sont disposées au petit bonheur.

L'assistance se fait laudative lorsque la rivière, dont les deux bras se rejoignent en aval d'une île, franchit en douceur une

101

dénivellation qui, pour parler franc, n'excède guère 1,50 m! Mais qui ergoterait pour si peu? D'ailleurs, le grondement des eaux tourbillonnantes est convaincant. Les amateurs de thé, de glace ou de kebabs ne sont pas oubliés, et, quand le brouhaha des conversations faiblit, des amplis distillent les prestations d'un ensemble de musique populaire. Bref, l'ambiance, sinon le sensationnel, est au rendez-vous!

Sidé *(Side)*

De Manavgat, une route jalonnée de panneaux publicitaires atteint (au bout de 3 km) Sidé, qui se présente comme un amalgame d'éléments anciens et modernes. Imaginez-vous un site antique, fondé il y a 2 500 ans, doublé d'une station balnéaire. L'actuelle Selimiye – qui s'insère telle une pièce de puzzle dans une petite langue de terre – aligne des rues où la présence de cafés, d'éventaires de vendeurs de kebabs ou de souvenirs entretient une bruyante agitation.

Ce sable qui attire tant de monde aujourd'hui représentait plutôt un handicap à l'époque où les Lydiens s'attelèrent à la tâche colossale de creuser un port artificiel. Avant la fondation d'Attaleia (Antalya) par Attale II, Sidé était l'unique port de la région. Les monnaies locales s'ornaient d'une grenade, symbole de fertilité (le nom de Sidé dérive d'un mot anatolien signifiant «fruit du grenadier»).

Le **théâtre,** d'époque hellénistique, occupe une situation enviable près du rivage. L'un des plus vastes de la région, il tourne le dos à la mer. Pour aménager les gradins, l'usage était de tirer parti d'une déclivité naturelle; or, faute d'une hauteur suffisante, on se résolut ici à élever des substructions percées d'arcades pour supporter le haut de l'auditorium. Une telle disposition offrait, en outre, l'avantage d'obliger les 17 000 spectateurs à se concentrer sur l'action, sans se laisser distraire par les séductions de l'horizon marin.

Jadis, un aqueduc, dont l'eau provenait de la rivière Manavgat, alimentait le **nymphée,** l'un des plus grands de toute la côte. Les reliefs – dauphins et poissons – dont les Romains se plaisaient à agrémenter les ouvrages de ce genre, ont en bonne partie disparu. Quant au **musée,** installé dans d'anciens thermes romains, il recèle nombre de statues et de sarcophages arrachés aux ruines de Sidé.

D'Alanya à Tarsus

Alanya, c'est d'abord un rocher impressionnant, hérissé de puissants remparts crénelés, qui pointe fièrement dans la mer. Mais franchissez ces fortifications et vous constaterez que cette ville qui donne du dehors l'impression d'être assiégée se fait tout sourire. Palmiers, hôtels chics et *fayton*: vous vous croiriez presque sur la Côte d'Azur, s'il n'y avait çà et là la silhouette d'un minaret pour vous replonger dans les sortilèges de l'Orient. Ajoutons que la station, paradis des véliplanchistes et des baigneurs, constitue le grand rendez-vous de la haute société turque.

Alanya doit son air belliqueux à son expérience séculaire: Antiochos III de Syrie y voyait la seule cité littorale dont il fût incapable de s'emparer, et ce caractère inexpugnable devait tout naturellement en faire un repaire de pirates, jusqu'au jour où Pompée défit ces derniers sur mer. Même lorsque Cléopâtre reçut Alanya des mains d'Antoine, elle s'intéressa davantage au bois de cèdre dont la région pouvait approvisionner ses chantiers navals qu'aux plages des environs! Bien plus tard, le sultan Alaettin Keykubat ne réussit à investir la place que parce que son gouverneur arménien était disposé à la céder. Au XVIIe siècle, les Ottomans autorisèrent la population à tirer à vue sur tout Européen, Arménien et Juif passant par là (les Grecs, eux, ne pouvaient résider que dans leurs propres quartiers). Faut-il souligner que l'accueil

s'avère aujourd'hui nettement plus chaleureux, et que les «envahisseurs» ont pour principale ambition de fondre sur les opulentes plages qui ceignent la baie?

La **Tour Rouge** *(Kızıl Kule)*, de plan octogonal, illustre à merveilles les conceptions des Seldjoukides en matière de défense, tout étant prévu, jusqu'aux mâchicoulis d'où l'on pouvait arroser les attaquants d'huile bouillante.

De là, vous contemplerez le *Tersane* (chantier naval), attrayante relique de la puissance seldjoukide. Immédiatement après, voici le **Tophane,** arsenal attenant aux fortifications qui protégeaient le chantier naval. Les murailles s'élèvent en zigzaguant jusqu'au **Château intérieur** *(Iç Kale)*, juché au faîte du rocher. L'endroit – dénommé autrefois *adam atacağı*, le «point d'où l'on pousse les hommes dans le vide» –, s'il éveille de sinistres souvenirs, ménage une vue absolument magnifique sur la mer, dont le bleu tire sur le turquoise.

Cilvarda Burnu, ainsi appelle-t-on cette pointe rocheuse qui s'effile au sud-ouest. S'y accrochent trois constructions en situation assez précaire: il y a là une tour, un atelier monétaire et un monastère.

En bateau, vous atteindrez diverses grottes qui s'ouvrent au pied du rocher. Jadis, les pirates enfermaient leurs innocentes victimes

Alanya et ses remparts d'époque seldjoukide. Un porteur d'eau qui ne passe pas inaperçu!

dans la **Grotte aux Filles,** à l'est. Pour la **Grotte des Amants,** tout commentaire semble superflu! A l'ouest, la **Grotte phosphorescente** offre une débauche de couleurs. Il règne une chaleur lourde dans **Damlataş,** une grotte agré-

mentée de stalactites et de stalagmites qui, très fréquentée par les asthmatiques des environs, guérirait les maux respiratoires.

Anamur

Au sortir de la localité, une allée descend vers les ruines d'**Anamuryum,** comptoir phénicien qui commandait la portion la plus méridionale de toute la côte anatolienne. Par une piste tracée entre

des arches vous gagnerez une paisible plage de galets.

Une gigantesque forteresse d'origine byzantine, **Mamure Kalesi,** chevauche les rochers du littoral, à 6 km à l'est d'Anamur. Ses remparts impressionnants sont jalonnés de 36 tours disposées aux points stratégiques. Edifiée au IIIe siècle, la forteresse fut restaurée en 1230; sa modeste mosquée date de l'époque seldjoukide. L'intérieur du fort s'avère bien sombre: attention, donc, si vous grimpez jusqu'aux créneaux!

Quelques kilomètres plus loin, au-delà de serres débordantes de bananiers, vous ne sauriez manquer la **Softa Kalesi,** forteresse qui coiffe un grand rocher escarpé. Des remparts, qui menacent ruine, la vue est belle, mais moins saisissante que celle qu'offre Mamure Kalesi.

Silifke

Outre les nuées d'oiseaux migrateurs en quête de soleil, Silifke draine un nombre croissant de vacanciers. Les touristes, en effet, convergent vers la (proche) plage de Taşuşu, avant de repartir pour le nord de Chypre (à 6 h de là en bateau, ou à 2 h en aéroglisseur). Les oiseaux, eux, colonisent l'île de Dana, à 60 secondes de vol de Taşuşu. Silifke devint une importance place d'échanges sous les Romains, lesquels construisirent un pont sur le Göksu. Franchissant ce cours d'eau en 1190, lors de la 3e croisade, l'empereur romain germanique Frédéric Barberousse s'y baigna et s'y noya.

Le **château** local, élevé par les Byzantins, fut gratifié d'une mosquée par le sultan Beyazıt. L'eau, sous ces cieux, est un bien précieux. Aussi, une immense **citerne,** de 46 m de long sur 25 de large environ, fut excavée dans un versant rocailleux afin d'assurer l'approvisionnement de Silifke.

Les restes d'une basilique dédiée à sainte Thècle subsistent à Meryemlik, à l'ouest de Silifke. Cet édifice fut bâti au Ve siècle sur l'emplacement d'une grotte qu'occupa la célèbre martyre. (Thècle avait suivi saint Paul à travers les montagnes, depuis Konya, où elle s'était convertie). Un chemin processionnel a été taillé dans le roc.

A quelque 20 km à l'est de Silifke, le village de *Narlıkuyu* conserve les vestiges de bains romains du IVe siècle. Un superbe **pavement en mosaïque** représente les trois Grâces. Entre autres vertus, une source voisine aurait celle de procurer la beauté, le bonheur, la sagesse, voire la richesse!

Les asthmatiques, eux, célèbrent d'autres vertus – celles d'une grotte (à 1,5 km au nord) à l'atmosphère surchargée d'humidité. Illuminée, cette cavité révèle au moins des stalactites et des stalagmites féeriques, mais attention à ne pas glisser! Non loin, les **gouffres du Ciel et de l'Enfer** *(Cennet ve Cehennem)* vous donneront l'occasion d'une «descente au paradis». En effet, vous descendrez sans difficulté au «Ciel», dont l'entrée est gardée par une chapelle byzantine en ruine. En revanche, mais qui s'en plaindrait? l'«Enfer» demeure inaccessible.

A environ 25 km de Silifke, sur la route de Mersin, vous atteindrez **Kızkalesi,** l'antique Corycos. Un château commande le littoral, tandis qu'un autre veille sur un rocher, ·à quelques brasses du rivage. Il était une fois un roi de Corycos qui avait une fille à laquelle un devin avait prédit qu'elle mourrait d'une morsure de serpent. Le roi crut bon, alors, d'élever ce second fort pour y cloîtrer sa fille. Celle-ci y coula une vie heureuse jusqu'au jour où elle reçut un panier de raisins au fond duquel un serpent était lové…

Mersin et Tarsus

Qui devinerait, en découvrant ses grands ensembles et ses hôtels élégants, que Mersin s'enorgueillit d'une histoire de plus de 5000 ans? Cette ville à la population accueillante, qui vit de l'exportation des produits agricoles de sa région, est aussi un port très actif, en relation avec Chypre et la Syrie. Si Mersin a assis sa prospérité, depuis 2500 ans, sur l'agriculture et le textile pour l'essentiel, bien plus ancien s'avère le site néolithique qu'on a mis au jour sous une colline, le Yümük Tepesi, à 3 km de là.

C'est à Tarsus (Tarse, à environ 28 km à l'est de Mersin) que naquit saint Paul, premier missionnaire à avoir parcouru l'Asie Mineure; là aussi qu'Antoine et Cléopâtre se rencontrèrent pour la première fois, en 41 avant notre ère. Sans doute ces derniers empruntèrent-ils la **Porte de Cléopâtre,** érigée en l'honneur de la reine d'Egypte. A l'époque, Tarsus était un port actif; cependant, par suite de l'envasement de la côte, la mer s'est retirée assez loin. Parmi les constructions plus récentes, citons la **Grande Mosquée** (*Ulu Cami*), bel exemple de l'art des bâtisseurs ottomans du XVIe siècle.

ANATOLIE CENTRALE

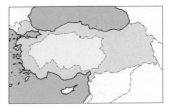

Le plateau anatolien, steppique, dont l'altitude se maintient d'abord autour de 600 m, s'élève par paliers, s'insinuant entre des montagnes décharnées pour atteindre jusqu'à 1200 m. La terre donne blé et orge en abondance, et même les reliefs ne sont pas totalement arides. Souvent ainsi, entre des versants brûlés par le soleil, des rubans de peupliers soulignent les vallées dont la verdure repose l'œil. Des groupes de ruches rappellent que l'Anatolie centrale est réputée pour son miel.

Ankara représente, pour qui entend explorer la région, un point d'attache tout trouvé. De là, la Cappadoce, au sud-est, constitue une étape obligée. De Nevsehir, une bonne route file tout droit jusqu'à Konya, qui n'est qu'à quelques heures de la Côte méditerranéenne, vous offrant en chemin l'occasion de visiter le site préhistorique de Çatalhüyük.

Quant aux ruines de Boğazköy-Hattuşaş, à l'est d'Ankara, elles sont aisément accessibles et présentent l'avantage de se situer sur la route qui mène directement à Samsun, sur la mer Noire.

ANKARA

L'actuelle capitale de la Turquie n'a plus rien de commun avec la bourgade lugubre que Mustafa Kemal avait visitée en 1919. A l'époque, l'ancienne *Angora,* formée en partie de maisons bâties à la hâte, souvent en torchis, était insalubre et nombre de ses 20 000 habitants souffraient de la malaria.

En soixante-dix ans, la transformation a été totale: Ankara est à présent une agglomération dynamique qui compte plus de 2 millions d'âmes. Atatürk Bulvari est l'artère maîtresse de cette capitale aérée – moins haute en couleur qu'Istanbul, mais bien plus spacieuse. Bordé d'acacias, il ouvre en plein centre-ville une large saignée du nord au sud.

Pour explorer Ankara à loisir, deux jours représentent un strict minimum. Vous ne disposez que de quelques heures? alors consacrez-les en priorité au Musée des civilisations anatoliennes (voir p. 112), dont la visite s'impose, surtout si vous projetez d'aller découvrir les anciennes cités de la région.

La vieille ville

La plupart des centres d'intérêt d'Ankara se concentrent dans le même secteur, au nord de Talatpaşa Bulvari. Vous partirez d'**Ulus Meydam** (place de la Nation), où trône la statue équestre d'Atatürk. En retrait, derrière deux soldats, une femme porte un obus. Cette référence à la lutte pour l'indépendance illustre le rôle des femmes dans la Turquie moderne.

Non loin, une cigogne a élu domicile sur la **Colonne de Julien** *(Julianus Sütunu)*, qui commémore la visite en ces lieux de l'empereur Julien l'Apostat, en 362.

Edifiée au XVe siècle, la **Mosquée d'Haci Bayram** *(Haci Bayram Camii)*, toute proche, abrite les sarcophages de son fondateur et de divers membres de sa famille. Tout à côté subsistent les restes, aujourd'hui colonisés par les pigeons, du **Temple d'Auguste** *(Augustus Mabedi)*. Celui-ci, qui fut utilisé par les Phrygiens et les Romains avant d'être reconverti en église par les Byzantins puis en mosquée par les Seldjoukides, porte encore des inscriptions célébrant les hauts faits de l'empereur Auguste.

Traversez Çankiri Caddesi, qui prolonge Atatürk Bulvari, pour gagner les ruines des **Bains romains** *(Roma Hamami)*, qu'encadrent des murs en brique modernes. Ces thermes du IIIe siècle comportaient un bassin, des cabines et une installation de «chauffage central». Remarquez les innombrables petites ouvertures pratiquées dans le sous-sol et regardez où vous mettez les pieds, car le sol est criblé de trous dangereux!

Un entassement de maisons, dont beaucoup défient les lois de l'équilibre, enserre la **Citadelle** *(Hisar)*, secteur le plus ancien d'Ankara. Un taxi vous y amènera, se faufilant avec adresse entre les sacs d'épices, les ustensiles et les gamins qui envahissent les ruelles. De la terrasse, vous découvrirez la ville moderne, parsemée d'espaces verts. Le panorama englobe au sud-ouest le Mausolée d'Atatürk, planté sur sa colline, à l'ouest le lac du parc de la Jeunesse *(Gençlik Parki)*, avec l'hippodrome au-delà. Au nord-ouest et plus près, vous distinguerez les ruines romaines et la Mosquée d'Hacı Bayram, laquelle marquait encore la limite de la ville au début du siècle.

Vers la droite, la colline d'Hidirlar porte l'un des quartiers les plus pauvres de la capitale: la «Montagne d'or», amoncellement de taudis où règne, malgré tout, une ambiance trépidante et colorée.

C'est en 1290 que les Seldjoukides bâtirent la **Mosquée de la Ménagerie** *(Arslanhane Camii)*, au sud de la citadelle. En pénétrant dans la cour supérieure – qui sert aussi de terrain de football –, vous noterez un soudain abaissement de la température. Remarquez d'autre part le coffre en acier, d'un mètre de haut, qui devrait inciter certains fidèles à desserrer les cordons de leur bourse! Au même niveau que l'entrée, la galerie affectée aux femmes comporte une clairevoie en osier, dérobant celles-ci à la vue des hommes, qui se tiennent en bas. Les chapiteaux blancs qui coiffent les 24 colonnes proviennent bien entendu de ruines romaines. Mais on a cru bon de passer un vernis de couleur bois, d'un effet assez malheureux, sur les colonnes elles-mêmes, qui sont ainsi censées s'harmoniser avec les murs autour. D'en bas, vous serez mieux à même d'admirer l'imposant escalier et la tribune du *minbar* sculpté – d'où l'imam conduit la prière du vendredi. Cinq horloges en bois rappellent avec une précision tout helvétique l'heure des prières quotidiennes; une sixième indique l'heure du jeûne.

La ville moderne

Le **Mausolée d'Atatürk** *(Amt Kabir)* doit à sa situation splendide de dominer toute la ville. La longue allée qui mène à l'édifice est flanquée de lions de pierre et de gigantesques statues masculines symbolisant l'éducation, l'agricul-

ture et l'armée (les trois piliers de l'Etat dans l'esprit d'Atatürk); à ces géants font pendant trois grandes statues féminines. Le bâtiment est ceint d'une colonnade monumentale.

A l'intérieur, le sarcophage repose sur un pavement en marbre. Des extraits de discours prononcés par le «Père de tous les Turcs» sont inscrits en lettres d'or sur les murs. Une autre inscription, à l'entrée du **musée** *(Müze)* attenant, illustre son vieux rêve d'une République turque indépendante et affranchie de toute ingérence étrangère. Vous verrez aussi ses deux cartes d'identité. l'une, en écriture arabe, délivrée à Salonique après sa naissance; l'autre, établie après l'adoption de l'alphabet latin sous son impulsion. Est également exposée la clef d'or offerte par la population de Samsun au héros du débarquement de 1919 (voir p. 129).

Si vous vous trouvez à Ankara un dimanche après midi, faites vous conduire en taxi à la **Maison du Président** *(Atatürk Köşkü)*, sise dans les hauts de Çankaya, quartier huppé du sud de la capitale. (Cette résidence, où Kemal vécut les premières années de sa présidence, est

Au Musée d'ethnographie, un coran enluminé d'une beauté à vous couper le souffle.

fermée le reste du temps.) L'accès se fait par une avenue que bordent des hêtres imposants; les jardins, arrangés avec goût, sont agrémentés d'un bassin. Le *köşk* présente – comme la résidence d'été que Kemal occupait à Trabzon (voir p. 134) – une tour d'angle, ajoutée après l'installation du héros. Si les pièces d'apparat sont dignes des fastes républicains, les appartements privés reflètent les goûts simples de leur ancien occupant.

C'est en 1921 que la demeure en question fut offerte au futur président par le mufti, chef spirituel de la ville. Au cours des onze années qui suivirent, le grand homme y définit et y mit en œuvre les structures et la ligne politique de la République turque. Un portrait encadré représente sa propre mère, Zübeyde Hanim, l'une des personnes qui eurent le plus d'influence sur sa pensée, en particulier en matière de statut de la femme.

La visite de **Kocatepe Camii** représente le digne couronnement de toute journée de tourisme à Ankara: les bâtisseurs de cette splendide mosquée ont su marier réminiscences de la grandeur ottomane et modernité du style. Achevé en 1987, après trente ans de travaux, l'édifice éblouit les touristes – et les fidèles, qui n'étaient souvent que des enfants à l'ouverture du chantier.

111

Epanoui telle une fleur, le dôme central est flanqué de quatre minarets superbes. A l'intérieur, un lustre géant, dont le cristal renvoie les couleurs du prisme, évoque le soleil; 32 petits globes le complètent avec bonheur. Traversez le vestibule pour mieux percevoir l'élégance de la coupole principale, qu'entourent quatre coupoles d'angle, et douze plus petites à la périphérie, toutes revêtues de beaux motifs aux tons pastel. Les innombrables chapelets en verre disséminés un peu partout font grand effet, moins par leur valeur propre que par leurs vives couleurs.

Pour en venir à des considérations plus terre-à-terre, signalons qu'un immense parking a été créé au-dessous de la mosquée. Les architectes firent de ce parc de stationnement l'une des composantes essentielles de leur projet.

Les musées

Le **Musée d'ethnographie** (*Etnografya Müzesi*), non loin d'Opera Meydam, présente ce que les Ottomans ont produit de mieux en matière de vêtements, ainsi qu'une prodigieuse collection de broderies fines et d'autres travaux à l'aiguille. Egalement fascinante s'avère la section des tapis et des kilims, dont chaque pièce illustre un thème: amour, jalousie, espoir…

La section «travail du fer» expose toute une gamme d'objets datant du XIe au XIXe siècle: boîte à pique-nique, plat à savon pour le hammam, *şerbet kazani*, récipient utilisé jadis pour servir les jus de fruits. Quant à la verrerie et à la porcelaine ottomanes, elles portent de délicats motifs floraux dont la généralisation tient au fait que l'islam proscrit toute figuration d'êtres animés.

De la citadelle, vous gagnerez aisément à pied le **Musée des civilisations anatoliennes** (*Anadolu Medeniyetleri Müzesi*), fabuleuse mine d'objets relatifs principalement à la période hittite. Les collections occupent un *bedesten* dûment restauré, élevé au XVe siècle par le grand vizir de Mehmet le Conquérant. L'organisation du musée respecte la chronologie, la salle centrale étant consacrée à la sculpture hittite.

Un colossal **roi hittite** en calcaire vous accueille à l'entrée: il provient du palais d'Arslantepe, près de Malatya. C'est là que, depuis le VIIIe siècle av. J.-C., il «célébrait» la victoire de ses guerriers sur les Assyriens.

Du haut de ses trois mille ans, ce taureau hittite toise ses admirateurs au Musée des civilisations anatoliennes.

Les premières manifestations du sentiment religieux au néolithique transparaissent dans les scènes de chasse et de danse qui figurent sur des **frises** exhumées à Çatalhüyük, près de Konya (voir p. 128). Stylisés à l'extrême, les personnages, peints en noir et en rouge, attestent un sens du mouvement et des proportions étonnamment aigu.

Un ensemble de onze **figurines** illustre, par des attitudes variées, la vie des femmes primitives, de la virginité à la maternité en passant par la gestation et les couches. Trouvée elle aussi à Çatalhüyük, une déesse en argile durcie au soleil: flanquée de deux lézards sacrés, elle met au monde un bébé qui évoque plutôt une femme plantureuse assise dans un fauteuil!

Parmi les pièces relatives à l'âge du bronze les plus intéressantes, vous verrez un cerf entre deux bœufs, à l'intérieur d'un cadre rond torsadé figurant le soleil, le tout posé sur un andouiller. Au royaume de Hatti, de telles sculptures accompagnaient les rois défunts afin de faciliter leur réincarnation en dieux ou en déesses.

Ne négligez pas non plus les charmants **jouets d'enfants.** Créés voilà 4500 ans, ces animaux en argile ou ces mini-pots pleins de petits cailloux – ancêtres du hochet – révèlent une ingéniosité confondante.

Les grandes **tablettes** couvertes de caractères cunéiformes constituent des spécimens de contrats négociés par des marchands assyriens. Notez les cachets et les sceaux hittites très élaborés qui portent un aigle bicéphale.

Les collections recèlent d'autre part des monnaies lydiennes en or, en argent ou en électrum (alliage naturel de ces deux métaux). Pour terminer, vous ne sauriez manquer une rareté, le flacon à parfum d'une belle Romaine du IIe siècle. Ce récipient en verre de couleur vert pâle, au motif floral délicat, a réussi à traverser les siècles intact.

Boğazköy-Hattuşaş

D'Ankara à l'ancienne capitale hittite, il y a 200 kilomètres. Vous gagnerez en car Sungurlu, d'où un taxi vous emmènera jusqu'au village de Boğazkale. En sortant d'Ankara par l'est, vous apercevrez les monts Koroğlu qui se profilent à l'horizon. Plus près de Sungurlu, le vert opulent des pâturages irrigués et la couleur fauve des hauteurs tranchent sur l'azur du ciel. La route de Boğazkale part à droite, tout de suite après Sungurlu.

Un rideau de peupliers, à l'entrée du village, masque en partie le bâtiment tout simple du musée de Boğazköy, qui expose un certain nombre de trouvailles d'importance secondaire, exhumées par des archéologues allemands (les fouilles, entamées en 1906, ont repris après 1945).

Au-delà des maisons de pierres sèches de Boğazkale, des rochers déchiquetés, à flanc de coteau, attirent l'œil davantage que les champs de ruines égaillées sur la droite. C'est là que s'ouvre **Boğazköy,** secteur qui englobe Hattuşaş (Hattousa) et Yazilikaya. Un sentier permet de faire le tour du site; suivez-le jusqu'au panneau indiquant le *Büyükmabet* (Grand Temple). Il reste peu de chose à voir, à part des entrepôts et des jarres en argile dont la plus grande contenait près de 3000 litres. Construction basse à toit plat, le temple aurait été dédié, croit-on, au dieu de l'Orage et à la déesse du Soleil.

Pour saisir l'ordonnancement de ce chaos de pierres, le mieux est de poursuivre par le sentier qui monte à la **Grande Forteresse** *(Büyükkale),* laquelle fut la résidence des rois de Hattuşaş. Après avoir gravi un escalier rudimentaire (qui remplace la rampe aménagée par les Hittites), vous jouirez d'un coup d'œil magnifique sur la plaine verdoyante, en direction de la mer Noire; de là-haut, en outre, la configuration du temple devient tout à coup évidente.

Les diverses constructions des parties supérieure et médiane de la forteresse, reliées par des cours, dépendaient du palais royal; là aussi s'élevaient les belles demeures de la noblesse. Comme l'attestent encore des rochers noircis, c'est à un incendie qu'il faut attribuer, au moins en partie, la destruction du complexe vers 1200 av. J.-C. Ces constructions s'effondrèrent, enfouissant pour trois millénaires des tablettes qui constituaient pour ainsi dire les archives de la civilisation hittite. Parmi les 2 500 textes mis au jour en 1906 figurait le traité de paix entre le roi Hattousili III et le pharaon Ramsès II; ce dernier, pour cimenter les liens tissés entre les deux empires, épousa l'une des filles du souverain hittite. Quelque 3000 autres tablettes furent dégagées vers 1935, ainsi qu'une statuette de Cybèle, déesse phrygienne de la Fertilité.

Le sentier mène ensuite à la **Porte royale** *(Kralkapısı),* appellation qui vient de ce que le dieu de la Guerre dont la statue fut trouvée là fut pris pour un roi: la main gauche de cette divinité, levée, protège la porte et ceux qui la franchissent. Ladite statue n'est qu'une copie, dont l'original a été transféré à Ankara, au Musée des civilisations anatoliennes. Ce n'est d'ailleurs pas la seule reproduction qu'on trouve à Boğazköy: bien des jeunes du coin s'adonnent au trafic de sculptures et de tablettes.

115

Quelque objet qu'on vous propose, sachez que, s'il est authentique, vous encourez les rigueurs de la loi et que, s'il s'agit d'un faux, vous avez été «roulé».

Yerkapı, la porte suivante, ménagée dans les remparts, consiste en un souterrain humide et froid, de forme triangulaire et d'une longueur de 71 m. Deux sphinx en gardaient jadis la poterne.

Poursuivant le long de l'enceinte, vous gagnerez la **Porte des Lions** *(Aslanlıkapı).* Franchissez la pour voir les fauves en question: l'un édenté et bien fatigué, et l'autre presque décapité, ils ne font plus peur à personne!

Fabuleuse Cappadoce, sculptée par les dieux du Vent et de la Pluie.

De Boğazkale, il suffit de cinq minutes en taxi pour atteindre **Yazılıkaya,** sanctuaire rupestre qui aurait été aménagé par Toudhalija IV; du moins ce roi figure-t-il en bonne place sur nombre de reliefs. Dans la chambre principale, une frise représente douze divinités, dieux d'un côté et déesses de l'autre (sauf exception). Une scène particulièrement impressionnante montre le dieu de l'Orage Teshoub et son épouse, la déesse du Soleil Hépatou, en train de célébrer par une libation la venue du printemps; les entourent une panthère, un aigle bicéphale, des montagnes et de simples mortels. Sur le relief principal, Toudhalija marche sur des montagnes.

Une crevasse étroite donne accès à la plus petite chambre; ne manquez pas les deux personnages à tête de lion – peu visibles – qui en gardent l'entrée! A l'intérieur, douze dieux alignés semblent poser, et Toudhalija réapparaît, protégé ici par Sharma, fils de Teshoub et d'Hépatou.

CAPPADOCE

Les métaphores fleurissent à propos de cette rude contrée: certains voyageurs ont évoqué ses «cheminées de fées», d'autres ont parlé de paysages lunaires ou de champignons fossilisés... Tous en sont cependant arrivés à la même conclusion: la Cappadoce est une merveille de la nature, unique au monde. L'étrangeté de ses paysages tient à l'existence de vastes bancs de tuf – roche tendre composée de cendres volcaniques. Ce tuf, presque partout affouillé par l'érosion éolienne et fluviatile, s'est trouvé çà et là protégé par des blocs de roches plus dures,

phénomène qui est à l'origine des cônes et des cheminées de fées. Quand, il y a 1400 ans, les Arabes envahirent la Cappadoce, les chrétiens imaginèrent de creuser des habitations dans le tuf poreux. A la moindre alerte, ils se terraient, aménageant peu à peu dix villes et près de 400 églises souterraines.

La Cappadoce consiste en trois vallées désolées dont chacune – Göreme, Soğanlı Ihlara – peut être visitée en une journée. Si populaires que soient Göreme et Ürgüp, bien des gens préfèrent prendre comme point d'attache Nevşehir, ville intéressante en elle-même pour ses monuments historiques.

Nevşehir

Vues d'en bas, les claires murailles, récemment restaurées, de la **forteresse** (Kale) se découpent sur les basaltes environnants: un site qui prit toute son importance lorsqu'au XIIIe siècle Nevşehir devint une étape sur la route de la soie. Des remparts crenelés, vous apercevrez de nombreux minarets d'où fusent cinq fois par jour les appels des muezzins. On ressent là-haut une impression d'isolement, qui s'efface à la vue des grands ensembles bâtis pour loger une population qui a doublé en vingt ans.

Depuis que la **Kurşunlu Camii** fut élevée, en 1727, certaines de ses étoiles en céramique turquoise sont tombées. Néanmoins, cette mosquée demeure le fleuron d'un ensemble d'époque ottomane constitué d'une bibliothèque, de cuisines, d'un caravansérail, de bains et d'une école coranique. A l'intérieur, la coupole repose sur huit piliers et le *mihrab* est flanqué d'immenses cierges, inclinés vers La Mecque. Au décor floral, plaisant mélange de rouges, de bleus et de bruns, il confère à la pierre une chaleur bienvenue.

Riche en objets provenant tous de la province de Nevşehir, **le musée** (Müsée) local couvre une vaste période, du IIIe millénaire av. J.-C. à la fin de l'ère ottomane. Vous y remarquerez trois tombes romaines rangées côte à côte, dans lesquelles on a cru bon de poser des crânes, pour montrer dans quel sens les corps étaient placés. A voir aussi des ustensiles phrygiens en terre cuite, de jolies pièces en nacre byzantines, de même que des lacrymatoires romains du IIIe siècle.

Vallée de Göreme

Citadelle juchée sur son rocher, et qu'on dirait coupée en deux, **Uçhisar** se profile au-dessus de la

Une jeune paysanne en pantalon bouffant que le travail le plus humble ne rebute pas.

route, à l'est de Nevşehir. Ce château, environné de rocs aux allures de capucins, évoque quelque grotesque masque de théâtre à plusieurs faces. Partout pointent des cônes gréseux, creusés d'habitations troglodytiques et criblés de trous en guise de fenêtres.

Le village de **Göreme** se fond dans son environnement, avec ses restaurants excavés dans une roche tendre: un procédé devenu si naturel que la vue d'un minaret semble incongrue dans ce décor de science-fiction. Le vaste musée en plein air jouxte un couvent à gauche et un monastère à droite, lesquels, quoi qu'en disent les guides, n'ont jamais communiqué.

Les rochers, par leurs difformités, font ressortir la beauté des églises qu'ils recèlent. Datant pour l'essentiel du VIIIe siècle, les plus anciennes des fresques que vous verrez à l'intérieur des sanctuaires rupestres illustrent la vie du Christ; elles sont souvent abîmées vers le bas, là où les premiers chasseurs de souvenirs ont pu en prélever aisément des fragments. L'**Eglise de la Pomme** (*Elmalı Kilise*) constitue l'un des plus beaux exemples de ces chapelles peintes à fresque.

Plus au nord, en direction de Zelve, les tufs affectent des formes torturées. Plus loin, des «champignons» veillent sur le Verger du Pacha (Paşabaği, qui doit l'opu-lence de ses vignes et de ses champs de légumes à la fertilité d'un sol sablonneux. Au-delà de plantations d'abricotiers, les pinacles ont conservé leur chapeau de roche dure, alors que leurs flancs sont, depuis des millénaires, sapés par l'érosion éolienne. Village abandonné depuis 1950, Zelve est devenu un musée en plein air.

Avanos est connu pour ses poteries, faites d'une argile rougeâtre tirée du lit du Kızılırmak (fleuve Rouge), lequel arrose la localité. Mais celle-ci produit également toutes sortes d'autres souvenirs, y compris des objets en albâtre et en onyx. D'Avanos, la route qui se dirige au sud-est vers Ürgüp atteint la **Vallée des Cheminées de fées** (*Peribacalar Vadisi*), où s'attroupent des centaines de ces étranges «demoiselles coiffées».

Vallée de Soğanlı

Vous pourrez gagner ce secteur par Ürgüp, ou encore accomplir un long circuit qui vous permettra de découvrir les villes souterraines de Kaymaklı et de Derinkuyu, au sud de Nevşehir.

Les gens de **Kaymaklı** menaient jadis une double vie. En temps normal, ils occupaient des maisons serrées sur le Göztepe, éminence voisine d'où des guetteurs surveillaient les alentours. Et

au moindre danger, ils descendaient par un tunnel se réfugier dans une cavité ménagée autour d'un pilier central de 65 m de haut. Des huit étages, le niveau supérieur devait servir d'hôpital, et les trois plans inférieurs sont obstrués. Du premier sous-sol, où les villageois parquaient leur bétail, vous continuerez à descendre, courbé en deux le plus souvent. Un lacis de couloirs mène, par les salles où se

Yılanlı Kilise, à Göreme: les saints Georges et Théodore terrassent l'horrifique dragon.

tenait la population locale, à une minuscule église byzantine; là, vous distinguerez des croix sommairement tracées sur le mur.

Un des problèmes posés par la vie troglodytique était qu'il fallait bien se débarrasser des cadavres.

Reprenant la méthode utilisée 7000 ans auparavant par les hommes du néolithique, les cavernicoles inhumaient leurs morts dans le sol, entassant des blocs par-dessus. De nos jours, des grilles signalent l'existence de fosses sous la «salle à manger». Remarquez aussi les meules de granit qu'on roulait afin d'obstruer le tunnel. A l'inverse, certaines sections de celui-ci restaient accessibles et les assiégés, invisibles, contre-attaquaient par des ouvertures pratiquées au niveau du genou. Une «porte» servait aussi, quand tout danger avait disparu, de table sur laquelle on broyait des épices.

A mi-hauteur de cette ville souterraine, un puits fournissait à la fois l'air en provenance du niveau supérieur et l'eau d'une source située tout au fond. Les cuisines étaient noires de suie, même si des cheminées en aspiraient la fumée. Les troglodytes s'adonnaient d'autre part à la vinification, ils foulaient le raisin et en recueillaient le jus dans une rigole.

Derinkuyu (à 9 km au sud) comporte également huit niveaux, mais sur une profondeur trois fois supérieure à celle de Kaymaklı.

Quand les cheminées de fées se parent d'ombre et de lumière...

Les deux villes, d'ailleurs, communiquaient par un tunnel qui n'a pas été déblayé.

De nos jours, dans la vallée de Soğanlı les pigeons s'avèrent plus nombreux que les touristes! Des montagnes aplanies dominent les pinacles de tuf dont les flancs recèlent des églises, des monastères, voire des colombiers. La vallée compte nombre de sanctuaires rupestres, tel **Karabaş,** qui est célèbre pour ses fresques – notamment celle qui représente la communion des douze apôtres.

Vallée d'Ihlara

Jusqu'à 100 000 personnes peuplaient autrefois ce cañon tortueux et grandiose (à 45 km au sud-est d'Aksaray). Tout au fond, une ligne de peupliers sinueuse trahit l'existence d'un cours d'eau. La vallée, longue de 15 km, aligne une bonne centaine d'églises, toutes élevées ou taillées dans le roc par les Byzantins.

Citons parmi celles-ci l'**Ağaçaltı** (Eglise de Daniel), dont les fresques sont relativement bien conservées, en particulier celle qui représente Daniel et les lions; et la **Yılanlı** (Eglise du Serpent), qui, à côté d'autres thèmes, montre saint Michel en train de peser les âmes dans sa balance, ainsi que des serpents enlaçant les méchants.

KONYA

Un aimable désordre règne en cette ville, la plus ancienne du pays. D'innombrables carrioles engorgent, en effet, les vieux quartiers, et vous vous sentirez décidément bien loin, au propre comme au figuré, des grandes stations balnéaires de la Méditerranée.

Saint Paul, s'il prêcha avec Barnabé à Konya, dut s'enfuir en raison d'un complot ourdi par une fraction de la population juive. Douze siècles plus tard, le philosophe mystique Djalâl Al-Dîn Rûmî, alias Mevlana (Notre Maître), devait trouver une audience autrement réceptive lorsqu'il fonda une secte qui allait être à l'origine de l'ordre des derviches tourneurs.

Le sultan seldjoukide Alaettin Keykubat, en dotant la ville de nombre d'édifices imposants, l'a marquée de son empreinte. Pourtant le grand homme, ici, est Mevlana. Aussi vous faudrait-il visiter d'abord le **Mevlana Müzesi,** musée et mausolée à la fois. Partout, les boutiques regorgent de souvenirs relatifs au maître, mais vous oublierez dès l'entrée tout ce «folklore» superficiel. Dans le fond, un *ney* – sorte de flûte sur laquelle on exécute traditionnellement la musique mevlanienne – fait entendre sa sempiternelle complainte.

Le **tombeau** de Mevlana – placé juste au-dessous d'un dôme conique orné de faïence verte – est revêtu d'un brocart vert rehaussé de fils d'or. Vous verrez, près du tombeau du mystique (mort en 1273), le sarcophage de son fils aîné, Sultan Veled. Les 65 autres cercueils renferment les restes de disciples et de parents du maître. Vous ne sauriez manquer la **Cage** et le **Seuil d'argent,** qui annoncent par leur splendeur la chambre funéraire.

L'**Urne d'avril** vous donnera quelque idée de l'importance mystique de Mevlana. Ce bassin en bronze aux motifs d'or et d'argent servait à recueillir l'eau de pluie tombée en avril, eau qui, pour les

---

Intimités mystiques

Originaire de Perse, Mevlana arrive à Konya en 1228. Devenu sûfi, théologien mystique, à l'exemple de son père, il enseigne dans l'une des medersas (écoles coraniques) de la ville. Sa rencontre fortuite avec un derviche errant du nom de Shams, en 1244, va marquer un grand tournant dans la carrière du sûfi. Ce dernier est à ce point séduit par la personnalité de son ami – image à ses yeux de la perfection divine – que les deux compagnons vivront ensemble des mois durant, au grand scandale de la famille et des disciples de Mevlana. Aussi, avec le concours des fils de celui-ci, Shams sera-t-il discrètement liquidé.

La détresse ressentie par Mevlana à la mort de son ami va faire de lui un poète prolifique qui écrira la plupart de ses distiques sous l'empire d'une extase due à la musique. Longtemps après, passant un beau jour devant l'échoppe de l'orfèvre Salahaddin, Mevlana sera attiré par un harmonieux martèlement, au rythme duquel il entamera une danse tournante. Son amitié avec l'orfèvre lui inspirera de nouveaux vers. Salahaddin disparu, Çelebi Husameddin le remplacera dans le cœur du maître, qu'il suivra partout, jusqu'au bain, pour noter ses vers!

A la mort de Mevlana, ses disciples se grouperont au sein de la secte mevlevi, à savoir l'ordre des derviches tourneurs. Pour ceux-ci, la danse giratoire (sama) constitue un moyen de communiquer avec Dieu; virevoltant de plus en plus vite ils entrent en transe, s'efforçant de perdre leur propre identité afin d'atteindre l'union totale avec le Tout-Puissant. Tout bon mevlevi subit une rude initiation – les «mille et un jours de pénitence». Dissoutes en 1925 par décret gouvernemental les confréries sûfi recevront en 1954 le droit d'exécuter leurs danses rituelles en décembre de chaque année, pendant deux semaines.

musulmans, était à la fois sacrée et bénéfique contre différentes affections; le turban du maître, en le touchant, en doublait les vertus.

Remarquez les deux groupes géants de chapelets suspendus; chacun de ces *tespih* se compose de 990 grains en noyer et en tilleul. Vous contemplerez aussi la Barbe du Prophète, la natte à prière de Mevlana, ainsi que d'inestimables ouvrages calligraphiés, tels ces corans d'époque seldjoukide et ottomane. Est également exposée l'œuvre la plus célèbre du mystique, le *Mathnawî*, qui, en six volumes, rassemble 25 618 distiques.

Le **Musée et Bibliothèque Koyunoğlu** (*A.R. Izzet Koyunoğlu Şehir Müzesi ve Kütüphanesi*) consacre diverses sections à la broderie et à l'artisanat de facture seldjoukide et ottomane; vous y verrez aussi des tapis, des nattes à prière et des *cicim,* sortes de kilims en plus épais. Une autre section rassemble des outils primitifs en obsidienne du paléolithique et du néolithique, ainsi que des vases de l'âge du bronze. Certains objets proviennent du site voisin de Çatalhüyük.

L'**Alaettin Camii** s'élève en plein centre-ville, à côté des vestiges d'un palais seldjoukide. Cette mosquée, qui honore la mémoire de l'autre grand homme de Konya, Sultan Keykubat, fut bâtie sous son règne, en 1221. Particulièrement

remarquables sont le *mihrab* et le *minbar,* ce dernier tout en bois sculpté.

Une dominante de bleu fait du proche **Karatay Müzesi,** musée aux céramiques logé dans une medersa (1251) coiffée d'un dôme, un lieu reposant à souhait. Le portail de marbre de cette ancienne école coranique s'orne de motifs des plus complexes, tandis que l'intérieur,

autrefois revêtu de faïences émaillées, est inachevé. Le bassin que vous remarquerez au milieu de la salle servait non à des ablutions, mais à l'étude de l'astronomie. Imaginez les étudiants penchés sur l'eau, retenant leur souffle pour éviter toute ride, en train de relever la position des astres qui, grâce à l'ouverture ménagée dans le dôme, se miraient dans l'eau. Le **Musée du Minaret élancé** (*Ince Minare Müzesi*) est lui aussi logé dans une medersa du XIIIe siècle. Il y a en réalité longtemps que le minaret n'a plus rien d'élancé, puisqu'il fut abattu par la foudre vers l'an

Cerné par la steppe, Konya est un nœud de communications des plus animés.

mille; heureusement, le magnifique portail à la décoration profuse est demeuré intact. Quant aux carreaux turquoise, ils étincellent. L'édifice a été aménagé en musée au cours de ce siècle. Il abrite des sculptures funéraires et des pierres tombales trouvées alentour. On revoit là l'aigle bicéphale, omniprésent emblème des Seldjoukides.

Au **Musée archéologique** (*Arkeoloji Müzesi*), une tombe romaine tient la vedette, avec son splendide bas-relief qui illustre non sans minutie les douze travaux d'Hercule. D'autres sarcophages et diverses trouvailles proviennent des fouilles effectuées à Çatalhüyük et ailleurs.

Çatalhüyük

La visite de ce site (à 60 km au sud-est de Konya), à défaut d'offrir un intérêt majeur sur le plan archéologique, procure des satisfactions d'ordre spirituel. N'est-il pas exaltant, en effet, de découvrir des lieux où, il y a plus de neuf millénaires, les hommes de l'âge de la pierre ont fondé la plus ancienne ville connue?

Pour atteindre Çatalhüyük, prenez à Konya la route de Karaman et quittez-la à Çumra. Traversez ensuite une voie ferrée désaffectée puis, dépassant des poteaux électriques en béton, continuez par une route non revêtue, entre des champs de blé. A un embranchement en T, prenez à gauche; plus loin, suivant une flèche, gagnez sur la droite une maisonnette. Là, un vieux gardien, empressé et cérémonieux, vous dévidera une inépuisable litanie en diverses langues.

Du site préhistorique, il reste peu de chose, si ce n'est quelques tertres et quelques dépressions en plein champ. Vous n'en repérerez pas moins des débris d'os, des éclats d'obsidienne et des fragments de pierre provenant d'armes diverses. La ville néolithique groupait environ 2000 maisons carrées en torchis, dont chacune pouvait accueillir une famille de quatre ou cinq personnes. Il n'y avait ni fenêtres ni portes, seulement une ouverture dans le toit, qui servait également de puits d'aération et de cheminée.

Dans un creux de terrain s'élevait un temple d'où l'on a retiré des cornes de bœufs et des frises, à présent déposées au Musée des civilisations anatoliennes à Ankara. Des deux principaux établissements (*hüyük*), qui couvrent quatorze hectares à flanc de coteau, un seul a été fouillé, révélant l'existence de douze niveaux, du paléolithique au chalcolithique. De nouvelles investigations ne devraient donc pas manquer de livrer d'importantes trouvailles.

CÔTE DE LA MER NOIRE

Carrés de tabac à Sinop, champs de blé et plantations de noisetiers à Samsun, cerisaies à Giresun ou rangées de théiers à Rize, la région la plus septentrionale de la Turquie compose un ravissant patchwork de couleurs. La côte s'étire sur 1700 km de la frontière de la Bulgarie à celle de la Géorgie. Le secteur le plus attrayant, abstraction faite des plages voisines du Bosphore, se situe entre Samsun et Trabzon – l'ancienne Trébizonde.

Toute la contrée vit quelque peu isolée derrière la chaîne Pontique, que de rares routes traversent. Mais, comme l'antique royaume du Pont, dont elle est l'héritière, elle n'eut guère à déplorer un isolement relatif. Aujourd'hui, les gens de la région, aussi chaleureux et hospitaliers que les autres Turcs, s'avèrent seulement plus timides. Vers l'est, les pluies deviennent plus irrégulières, et l'accent géorgien s'affirme.

De Samsun à Tirebolu

Samsun est un port de commerce depuis que des colons originaires de Milet en ont reconnu les ressources potentielles dès le VIIe siècle av. J.-C. Un air tonique et l'irrésistible cordialité de la population font oublier que le front de mer est barré par une voie ferrée. Ajoutons que la ville est chère au cœur des Turcs, car c'est là que le futur Atatürk débarqua le 19 mai 1919 – en prélude au combat visant à l'instauration de la République.

Vous ne risquez pas de manquer la mosquée la plus remarquable de Samsun, la **Merkez Cami,** dite aussi Yeni Cami (Nouvelle Mosquée), qui n'a été achevée qu'en 1982. Son minaret en marbre, haut de 48 m, s'élance vers le ciel. Tout aussi impressionnant s'avère le dôme revêtu de métal qui brille au soleil. En foulant les tapis rayés vert et rouge, vous serez frappé par la simplicité des vitraux et de la coupole, toute salie par des infiltrations. De chaque côté du *mihrab* central veille une horloge. Une moderne galerie marchande (accessible par un escalier, sur le côté de l'entrée) a été aménagée au-dessous de l'édifice.

Le plus bel ornement du **Musée d'ethnographie** (*Etnografya Müzesi*) est un pavement en mosaïque reconstitué, d'une superficie d'environ 10 m^2. Exécutée du temps de

129

l'empereur Sévère Alexandre, cette mosaïque, jugée digne d'une remise en état au début de la période byzantine, illustre les quatre saisons et divers épisodes de la mythologie romaine. A ce propos, on discerne encore l'une de ces luttes qui opposaient continuellement Néréides et Tritons.

Le **Musée Atatürk** *(Atatürk Müzesi)*, attenant au précédent, pré-

sente, à côté d'effets personnels, du tabac en carottes offert au héros à son arrivée, en 1919. Erigé en bordure d'Atatürk Bulvari, le **Monument des «Premiers Pas»** signale l'endroit où débarqua Mustafa Kemal. Plus loin se dresse une statue équestre à la gloire du grand homme.

Pour jouir d'un beau coup d'œil sur le port et la mer Noire, gagnez

donc la hauteur à la périphérie de la ville. Au-delà d'un camp militaire, vous aboutirez à l'aéroport local.

Une fois dépassé les faubourgs (peu soignés) de Samsun, la route fait une brève incursion dans l'intérieur. Les monts Canik, qui se dressent en arrière du village de Terme, ne s'abaissent qu'aux abords d'**Ünye** (à 89 km de Samsun), localité connue pour ses restaurants de poisson. Puis, dans un virage, vous découvrirez son port de mer, commodément installé dans une jolie baie. Non loin, vous atteindrez Çamlık, une plage abritée par une pinède.

Quand l'enfant dort, on prépare les «guirlandes» de tabac.
Sainte-Sophie, joyau de Trabzon.

Le port de pêche d'**Ordu** (à 79 km à l'est d'Ünye) possède lui aussi une plage attrayante: Güzelyalı (à 1,5 km). Ici s'acheva l'épopée des Dix Mille, narrée par Xénophon. Vaincus en Mésopotamie, les survivants, à l'issue d'une pénible retraite à travers l'Asie Mineure, parvinrent affamés à Ordu, où ils s'embarquèrent, en 400 av. J.-C. Après Piraziz se succèdent d'autres plages que dominent des collines coniques drapées de forêts.

Réputé pour ses cerises, **Giresun** (à 50 km d'Ordu) chevauche un promontoire accidenté. De sa forteresse byzantine, vous jouirez d'une vue splendide sur la mer Noire. Le premier cerisier introduit en Italie provenait de Giresun; d'ailleurs, notre mot «cerise» dériverait du nom ancien de la ville: Cerasos. **Giresun Adası,** une île voisine, porte les vestiges d'un temple consacré à Arès, dieu de la Guerre (le Mars des Romains).

La route, qui se dégrade, s'insinue par une brèche taillée dans la montagne pour atteindre de riantes vallées. Après diverses plages, voici les ruines du château fort de **Tirebolu,** qui contrastent avec la grand-rue, moderne et bordée d'arbres, de ce coquet village de pêcheurs. Passé une plage sablonneuse, vous traverserez la vallée du Harşit, encadrée par des hauteurs. De là, une plage blanchâtre, qui mêle sable et galets, s'étire à perte de vue. Trente kilomètres avant Trabzon, la route se détériore encore. Non, vous n'avez pas la berlue: il existe bel et bien deux villages du nom de Mersin, qui font modestement pendant à la station homonyme sur la Méditerranée.

Trabzon

La vénérable Trébizonde s'étend de part et d'autre d'une gorge: un site grandiose qui ménage un superbe coup d'œil sur les vieilles fortifications et le port. Du fait d'une urbanisation dont la cohérence n'est guère apparente, vous risquez de perdre du temps en allées et venues inutiles. Aussi le mieux serait-il d'utiliser les *dolmuş* ou de faire un tour d'orientation en taxi.

L'église la plus ancienne de Trabzon, **Küçük Ayvasıl Kilisesi** (Sainte-Anne), bien que commodément située en face de la poste, n'est pas si facile à repérer. Les herbes folles qui en tapissent le toit font ressortir la teinte grise de la pierre. Bâtie au VIIe siècle et restaurée vers 885, sous l'empereur Basile Ier, l'église devait plus tard servir pour des cérémonies funéraires (c'est la seule de l'endroit à posséder une crypte) et elle abritait encore des sépultures il y a à peine plus de cent ans.

A l'ouest de la ville, le **Musée Sainte-Sophie** *(Ayasofya Müzesi)*, qui, environné de roseraies, domine la mer de haut, représente l'un des chefs-d'œuvre absolus de l'architecture byzantine. L'empereur Manuel Ier (de la famille Comnène de Trébizonde) rêvait d'élever une église digne de rivaliser avec Sainte-Sophie de Constantinople; il dépensa et se dépensa sans compter pour édifier un monastère qui englobait cet édifice, aujourd'hui transformé en musée.

Manuel fit bâtir dans un premier temps les trois grands porches à voûte en berceau, ainsi qu'un socle destiné à supporter l'édifice, avant de charger des artistes d'exécuter le décor somptueux d'inspiration mi-byzantine, mi-orientale. Il faut dire que parmi les peintres figuraient des Seldjoukides qui avaient fui devant l'avance mongole. Les pigments les plus coûteux furent utilisés pour réaliser les scènes bibliques de la coupole, du narthex et des porches. Le Christ trône sur la calotte; les apôtres sont présents sur le tambour de la coupole, et les prophètes dans les niches. En complément, une frise est peuplée d'anges en adoration.

Le fronton du porche sud porte un relief qui illustre la chute d'Adam et Eve, de l'épisode du fruit défendu à leur expulsion du Paradis. En dépit des injures du temps, les personnages expriment par leurs attitudes une indubitable repentance. La scène finale montre Caïn en train de tuer Abel.

Ortahisar, ou Fatih Büyük Camii, la mosquée de la citadelle, était à l'origine une église byzantine consacrée à saint André. Lorsqu'au VIIIe siècle la ville devint le siège d'un archevêché, l'édifice accéda au rang de cathédrale, mais celle-ci fut vouée, sans qu'on sache au juste pourquoi, au culte de la Vierge à la Tête d'or *(Panaghia Chrysokephalos)*. A la prise de Trébizonde par Mehmet II (1461), l'islam supplanta le christianisme. Le porche méridional fut alors ajouté et, fait plus important, le balcon sud de l'église démoli pour faire place au *mihrab*.

Les murs de la cité byzantine et les ruines de la **forteresse** *(Kale)* couronnent dignement le rocher trapézoïdal auquel la ville devrait son nom originel (Trapezus). La vue sur le grand ravin qui coupe Trabzon en deux vaut la promenade à elle seule. Les murailles de la ville basse, érigées sous Hadrien, furent relevées par les Ottomans. Ceux-ci, quand ils s'emparèrent des lieux, démolirent les ponts-levis qui permettaient d'isoler la forteresse et, gommant pour ainsi dire le ravin en question, lancèrent des viaducs entre les deux secteurs de la ville.

SUMELA

Sumela, monastère vertigineux, suspendu entre ciel et terre.

La **Gülbahar Hatun Camii,** la plus ancienne mosquée ottomane de Trabzon, fut élevée en 1491 pour Ayşe Hatun, belle-fille de Mehmet le Conquérant (et grand-mère de Soliman). Sa popularité valut à cette princesse son surnom de Gülbahar (Rose du Printemps).

L'**Atatürk Köşkü,** niché sous des sapins, se situe dans les hauteurs auxquelles s'adosse la ville. Trois jours suffirent à Mustafa Kemal pour s'enticher de cette villa aux allures de pièce montée... et à la municipalité pour lui en faire don. Le parfum des roses rôde une bonne partie de l'année autour du *köşk* en pierre blanche joliment travaillée. Le style simple du héros prévaut à l'intérieur. La construction de la résidence fut entreprise à la fin du siècle dernier, avec des matériaux provenant de Russie. C'est dans une des pièces du rez-de-chaussée qu'Atatürk rédigea le testament par lequel il léguait tous ses biens à son peuple.

Le Monastère de Sumela

Une vision a poussé deux prêtres athéniens, il y a 1600 ans, à fonder ce monastère (dénommé Merye-mana sur certaines cartes), l'une des curiosités les plus saisissantes du nord-est de la Turquie. Ils firent 47 kilomètres à pied avant de repér-er, au sud de Trébizonde, l'endroit qu'ils avaient vu en songe. Là, ils aménagèrent de petites cellules suspendues dans une paroi dont l'accès aurait découragé plus d'une chèvre! Leur monastère allait s'ac-quérir le respect du royaume du Pont tout entier.

Au VIe siècle, l'empereur Justinien, sensible aux possibilités stratégiques de l'établissement, tout en le comblant de faveurs, le fit fortifier, ce qui n'empêcha pas des bandes de rôdeurs de piller les lieux. Plusieurs successeurs de Justinien s'intéressèrent aussi à Sumela, certains se faisant couronner dans la petite Eglise de l'Assomption. En signe de reconnaissance, ils restaurèrent le monastère, l'agrandirent et le dotèrent richement, laissant un souvenir de leur passage sous forme de fresques flatteuses.

Pour gagner Sumela, ralliez d'abord la bourgade de Maçka, d'où une petite route s'engage dans une pittoresque vallée. Au fil des kilomètres, celle-ci paraît de plus en plus enchanteresse, à mesure que la chaussée devient plus cahoteuse. Devant vous, une puissante montagne émerge des nuages de poussière, et le monsatère apparaît, accroché à une paroi vertigineuse. Si, pour y accéder, vous avez encore à vous élever de 300 m par un sentier éreintant, vous serez amplement payé de vos efforts. Comptez une bonne demi-heure de montée, mais assurez-vous au préalable que le monastère est bien ouvert (en temps normal, de 9 h à 17h). Le brouillard et surtout la pluie ne sont pas rares sur cette montagne; aussi, n'oubliez pas votre parapluie!

Si le gardien est en train de prier dans le renfoncement de sa loge, vous devrez patienter un instant. A l'extérieur du monastère, la **Source sacrée** *(Ayazma)*, qui ruisselle sans discontinuer d'une saillie, suscite prières et espérances. A l'intérieur de l'église, les peintures primitives (IXᵉ siècle) sont visibles par places, sous la couche de fresques – bien écaillées – dont elles furent recouvertes à l'époque ottomane. Des trous apparaissent partout dans les murs et le plâtre a disparu en bonne partie, situation que les surveillants attribuent aux «touristes américains». Tâchez de repérer la date discrètement écrite à la craie (1741), destinée à rappeler aux guides victimes d'un trou de mémoire l'année où furent exécutées les dernières fresques.

TURQUIE DE L'EST

Pour rude qu'elle soit, cette région s'avère magnifique et elle exhale un charme qu'on ne retrouve nulle part ailleurs. Cela étant, parcourir l'est du pays implique quelques inconvénients: ainsi, le soleil se montre implacable en été et le froid mordant en hiver. Néanmoins, songez qu'un nombre assez restreint de gens ont le privilège de visiter la contrée, et que l'expérience vaut d'autant plus d'être vécue. Vous serez récompensé de votre esprit d'aventure par des paysages à vous couper le souffle – ne serait-ce que dans les parages de l'Ararat, volcan assoupi (depuis 1840) qui dépasse les 5000 mètres.

Toute la région souffre d'une aridité que des précipitations irrégulières n'atténuent que çà et là. En revanche, les confins du sud-est appartiennent déjà à cette corne de verdure étonnante, berceau de la civilisation, à laquelle on a donné le nom de «Croissant fertile».

Pour explorer la Turquie orientale, vous auriez intérêt à choisir Erzurum pour point d'attache, puis à rayonner à partir de là, en fonction des conditions météorologiques, sans toutefois perdre de vue que pour visiter certaines zones une autorisation écrite est requise.

Erzurum

A voir les montagnes qui barrent l'horizon de toutes parts, on n'imagine guère que la plaine d'Erzurum s'étend déjà à près de 2000 m d'altitude et qu'il s'agit même du secteur le plus élevé du plateau anatolien. Une réalité qui prend tout son sens en hiver!

L'agglomération compte environ 250 000 âmes et ses constructions se serrent peureusement les unes contre les autres. Erzurum, il est vrai, a souvent souffert par le passé. Sa position sur la route de la soie, si elle lui a valu une certaine opulence, en a surtout fait un objet de convoitise. Au cours des six millénaires de son histoire, la ville est tombée des dizaines de fois aux mains d'armées qui traversaient l'Asie Mineure. Brochant sur le tout, maints séismes sont venus semer la ruine au fil des siècles. Il n'empêche que les monuments seldjoukides ont encore fière allure.

Au cœur de la vieille ville, la **Medersa aux Deux Minarets**

(Çifte Minareli Medrese) est une ancienne école coranique bâtie en 1253. Ses minarets de brique sont revêtus de carrés de céramique bleue, et celui de droite porte l'emblème seldjoukide, l'aigle bicéphale. La cour est bordée, tant au premier étage qu'au rez-de-chaussée, de salles d'étude aux allures de cellules. A l'autre bout du bâtiment, le **Tombeau d'Hatun** *(Hatuniye Türbesi)* fut construit un demi-siècle plus tôt pour abriter la dépouille d'Hûdâvend Hatun, fille du sultan seldjoukide Alaettin Keykubat. Ce *türbe* de forme circulaire fut aussi utilisé pour la prière et la lecture du Coran. Les restes d'Hatun ont été enlevés, puis remplacés par le corps d'un soldat turc, en hommage aux morts de la Grande Guerre.

La medersa a fait l'objet d'une restauration approfondie. Non loin, un bouquet de peupliers est le rendez-vous des corneilles du quartier. Quant aux fortifications ottomanes, vous les repérerez à l'inscription – «Mejidiye» ou «Aziziye» – tracée à la chaux en bas. L'Aziziye fut le théâtre de combats sanglants au cours de la guerre d'Indépendance, conflit dont un monument, à la périphérie est de la ville, rappelle la cruauté.

Tout à côté de la medersa, l'**Ulu Cami** est, comme son nom l'indique, la plus vieille mosquée du lieu (elle date de 1179). Des ampoules de couleur le proclament: «Il n'y a de Dieu qu'Allah et Mahomet est son envoyé.»

A l'intérieur, sans doute serez-vous surpris en apercevant la bande lumineuse qui dessine autour du *mihrab* du XIIᵉ siècle une auréole fluorescente, soulignant ainsi la direction de La Mecque. En levant les yeux, vous découvrirez le réseau de poutres mis en place après l'effondrement du dôme lors d'un séisme.

Les **Trois Tombeaux** *(Üç Kümbetler)*, 300 m plus loin, passent pour recéler les restes d'un émir seldjoukide et de membres de sa famille; le *türbe* de l'émir repose sur un socle octogonal.

En passant entre des maisons délabrées qui semblent aussi vieilles que les trois tombeaux, vous grimperez jusqu'à la **forteresse** *(Kale)*. Deux canons russes témoignent de la dernière fois où l'édifice – bâti par les Romains au Vᵉ siècle – a joué un rôle militaire. Les Arabes devaient agrandir les lieux, puis les Seldjoukides marquer leur souveraineté en élevant une petite mosquée *(mesçit)* et un minaret curieusement planté à 40 m de là. Le toit conique de la

mosquée est tapissé d'herbes on-doyantes. Le minaret, lui, fut transformé en tour de guet, au faîte de laquelle les Ottomans ont posé des colonnes en bois de style gothique. La silhouette d'Atatürk, piquetée d'ampoules électriques, veille sur Erzurum depuis les remparts. De là-haut, le regard plonge sur des toits recouverts d'herbe.

La **Yakutiye Medresesi,** qui est également une ancienne école coranique, possède en guise de minaret une tour tronquée (sur la gauche) que coiffe un toit conique. Remarquez, à gauche du porche, les deux lions en vis-à-vis ainsi que

l'aigle bicéphale, dont la tête de gauche manque. De l'autre côté de l'entrée, encore des lions et encore un aigle, qui, celui-ci, a perdu sa tête de droite.

La **Lalapaşa Camii** fut élevée en 1562, sous le règne de Soliman. L'allure caractéristique de la mosquée – dont le dôme central est entouré de quatre demi-coupoles assorties de quatre autres plus petites – incite certains spécialistes à y voir la «patte» du fameux Sinan.

Le **musée** *(Müze),* sis dans Paşalar Caddesi, présente des objets qui remontent, les plus anciens à l'époque hittite, les plus récents à la période ottomane.

Pour clore la journée, vous prendrez grand intérêt à flâner du côté du **Rüstempaşa Hanı,** caravansérail créé au XVIᵉ siècle, autour duquel s'est établi un bazar; là, quantité de boutiques regorgent de colliers, de boucles d'oreilles, de chapelets souvenirs.

Vous vous rendrez, avant de quitter la région, à **Palandöken Tesisleri,** station de sports d'hiver aménagée à 6 km environ au sud d'Erzurum. On y fait du ski à quelque 3000 m d'altitude, de décembre à avril ou mai.

Plus on s'enfonce vers l'est et plus les paysages se font sévères.

139

Le Nemrut Dağı

De tous les monarques qui ont aspiré à l'immortalité, Antiochos Ier est probablement le seul qui ait bien failli prendre place parmi les dieux. Né au Ier siècle av. J.-C., il régnait sur le tout petit royaume de Commagène, sur la rive ouest de l'Euphrate (à l'est des actuelles villes de Malatya et Adıyaman). L'unique préoccupation de ce roi, qui vivait en paix avec ses voisins, était d'entrer dans le cercle des divinités. Choisissant le Nemrut Dağı (2150 m), la plus haute montagne de la Mésopotamie septentrionale, il fit aménager au sommet un tumulus colossal, composé de terre et de quartiers de roche.

A la base de ce tertre, Antiochos fit placer des statues en calcaire (hautes de 10 m) de dieux assis sur des trônes – des blocs de 5 tonnes disposés sur deux terrasses qui donnent l'une à l'est et l'autre à l'ouest, de manière à capter les premiers et les derniers rayons du soleil. A côté de ces divinités figurait celui qui se parait déjà du titre de «roi-dieu». Antiochos fit encore exécuter des reliefs en grès le représentant en train de serrer les mains des diverses divinités. Celles-ci regardaient vers l'ouest, de façon à lui assurer une transformation immédiate en être semi-divin; le reste n'était plus qu'affaire de temps…

Le moyen le plus commode pour assister au lever ou au coucher du soleil sur le Nemrut Dağı consiste à passer la nuit dans un hôtel ou une *pansiyon* au flanc du géant, du côté d'Adıyaman, ou à Büyüköz si vous venez de Malatya. Vous pourrez ainsi observer le crépuscule, tout en ayant le temps de dormir suffisamment avant l'aube. Autrement, si vous dormez à Adıyaman, vous devrez vous lever à 1 h 30 du matin, puis faire un trajet harassant de deux heures et demie en minibus. Descendu de voiture, sans doute endurerez-vous les attaques d'un vent âpre, du moins si vous n'avez pas emporté vos vêtements les plus chauds. Malgré tout, dans le silence troublant de l'aube, ou du crépuscule, l'aventure vaut bien d'être vécue.

Les touristes ne sont pas les seuls à accomplir la grimpée finale. Quand – pour plagier Fénelon – l'Aurore aux doigts de rose aura entrouvert les portes de l'Orient, vous distinguerez des formes qui attendent frileusement l'heure prescrite pour la prière.

De la galerie des dieux, les restes ne sont guère identifiables; les têtes, qui ont depuis longtemps

Les dieux ne pourraient-ils, à l'instar des mortels, tomber un jour sur la tête?

roulé à terre aux alentours, semblent interroger l'horizon de leur regard éteint. Le tumulus a lui-même perdu de sa hauteur: le recours à la dynamite pour tenter de découvrir le lieu de sépulture d'Antiochos l'a abaissé d'un tiers, sans que le roi ait livré son secret.

Van

Un tapis de fleurs multicolores se déroule sur la rive du lac le plus vaste du pays, le *Van Gölü* (3713 km^2, plus de six fois le Léman), jusqu'aux vestiges de l'ancienne Tuspa, qui fut la capitale du royaume d'Ourartou.

Par des degrés taillés dans le roc, vous monterez à la **citadelle** *(Van Kalesi)*. A mi-chemin, remarquez les inscriptions cunéiformes datant pour les plus anciennes du IXe siècle av. J.-C.; les plus récentes sont dédiées à Xerxès. Les chambres funéraires se révèlent assez lugubres. En ressortant, vous embrasserez du regard les ruines d'une ville qui était déjà prospère il y a quelque 2700 ans.

Tout proche, le Van moderne – renommé pour ses tapis – apparaît comme une agglomération dynamique de 100 000 habitants. Entre autres témoins des époques seldjoukide et ottomane, vous visiterez **Hüsrev Paşa Camii,** bâtiment carré d'allure, qui se mire dans le lac; au minaret font pendant les dalles intercalées dans les murs de la mosquée. Quant au **musée** *(Müze)*, il présente une étonnante sélection d'objets provenant de divers sites, tels que des ustensiles du premier âge du bronze; vous y verrez aussi une collection de kilims magnifiques.

Van est accessible à la fois par route et par rail. A ce propos, un ferry assure la liaison avec Tatvan, sur la rive sud-ouest du lac. Cette traversée de quatre heures, certes plus longue que le trajet par la route, offre une approche pittoresque et délassante; sur le bateau, vous aurez tout loisir d'apprécier les dimensions considérables du lac.

Toutefois, si vous êtes en voiture, arrêtez-vous à quelques kilomètres à l'est de Gevaş. De là, en 20 min, un transbordeur vous emmènera découvrir l'un des joyaux de la Turquie orientale: une église arménienne du Xe siècle, **Akdamar Kilisesi** *(Sainte Croix)*. Richement sculptés, ses murs extérieurs arborent d'extraordinaires reliefs inspirés de scènes de l'Ancien Testament: ainsi, Adam et Eve, Daniel dans la fosse aux lions, Jonas et la Baleine…

La Turquie est aussi un pays où «coulent le lait et le miel».

Le mont Ararat

Sous quelque angle qu'on le découvre, le fabuleux Ararat (5165 m), chapeauté de neige, offre une vision saisissante, et lorsqu'une barre de nuages s'étire à mi-hauteur, il paraît plus élancé encore. Quand on s'en approche par la route qui file au sud d'Iğdır, on voit que le volcan, aux environs de Doğubayazıt, porte deux sommets: le Büyük Ağrı (Grand Ararat), au flanc duquel l'Arche de Noé se serait échouée, et le Küçük Ağrı (Petit Ararat), qui mesure environ 1000 mètres de moins.

Tel un mirage, le Palais d'Ishak pacha surgit au bout du chemin.

L'ascension jusqu'au cratère, réservée à des alpinistes chevronnés, représente une expédition de plusieurs jours pour laquelle il est nécessaire de se faire accompagner par un guide agréé. (Vu la proximité de la frontière iranienne, une autorisation écrite est requise.) Si vous traversez la région dans le seul dessein de voir le géant majestueux, rendez-vous donc à **Doğubayazıt,** localité qui vaut d'autant plus une visite qu'elle possède, avec le **Palais d'Ishak pacha** *(Ishak Paça Sarayı)*, l'un des monuments les plus curieux de toute l'Anatolie orientale.

Sis à flanc de coteau, au sud-est de Doğubayazıt, le palais et sa mosquée dominent la ville, qui s'étend dans une vaste plaine qu'encadrent des reliefs escarpés.

L'Arche perdue

La perspective de découvrir des restes de l'Arche de Noé, à supposer qu'elle ait réellement existé, a attiré des dizaines d'aventuriers sur l'Ararat. L'Estonien von Parrot, qui passe pour avoir le premier vaincu le géant, en 1829, ne découvrit rien. En 1840, un séisme suivi d'une avalanche balaya un village établi là où Noé aurait planté sa première vigne.

Parmi les alpinistes qui tentèrent ensuite d'atteindre le sommet, certains rapportèrent des bouts de bois provenant de l'Arche, à les en croire. Or de telles assertions n'ont jamais reçu la moindre confirmation scientifique. Depuis, les recherches continuent, mais, elles n'ont aucune chance d'aboutir: une croyance populaire n'assure-t-elle pas que, si l'Arche se trouve bien sur l'Ararat, Dieu a voulu que personne ne puisse jamais la retrouver?

145

L'Ararat, une majesté digne de la tradition biblique.

De belles sculptures en bois et en pierre illustrent le style composite d'inspiration orientale qui prévalait lors de l'édification de l'ensemble, au XVIe siècle. Remarquables s'avèrent les portes donnant accès au harem et aux quartiers affectés aux hommes. Au cours de la Grande Guerre, les Russes, qui occupaient la région, emportèrent à Moscou la porte principale, tout en or.

Vous verrez enfin les fondations de la ville primitive, du Ier millénaire avant notre ère, et, au-delà d'un col, vous atteindrez des fortifications ruinées qui remonteraient à la même époque.

QUE FAIRE

Le tourisme n'est que la première des joies que vous réserve la Turquie, et d'agréables surprises, que vient pimenter une pointe d'exotisme, vous attendent en matière de nourriture, d'achats, de distractions. D'autre part, en ce pays où les plages, simples ou élégantes, sont des plus variées, les sports nautiques viennent tout naturellement en tête des passe-temps proposés aux touristes.

Les sports

Natation. Les grands hôtels d'Istanbul mettent leurs piscines à la disposition de leur clientèle. L'Etap Marmara et le Hilton ouvrent leurs installations à des membres temporaires. Les meilleures plages, tout près d'Istanbul, sont celles des attrayantes stations balnéaires de Şile et de Kilyos, sur la mer Noire. En été, des bus font le trajet Üsküdar-Şile de demi-heure en demi-heure, entre 7 h 30 et 18h. Pour rallier Kilyos, sur la rive d'Europe, le mieux est, en partant d'Eminönü, de remonter le Bosphore en bateau, de descendre à Sarıyer et de continuer en taxi ou en *dolmuş*.

Vous pourrez aussi vous baigner aux îles des Princes. Le Bosphore, lui, ne se recommande guère par sa propreté et il en va de même pour les plages les plus proches le long de la mer de Marmara; Florya, par exemple, est très fréquentée, mais des algues verdâtres rendent les fonds glissants. Cependant, au-delà de Silivri, sur la rive nord de la Marmara, vous trouverez des plages de sable blanc bien plus belles, ainsi aux alentours de Gümüşyaka et de Sultanköy.

Les côtes de la mer Egée et de la Méditerranée sont éminemment propices à la baignade. Stations familiales ou chics, villages de vacances, criques solitaires, bassins d'eau thermale – vous n'aurez là que l'embarras du choix!

Plaisance. Que vous louiez une embarcation ou que vous ayez la vôtre, sachez que la Côte égéenne constitue le paradis des plaisanciers. Les bateaux se louent avec ou sans équipage. Comme la demande excède l'offre, prenez-vous-y suffisamment à l'avance. La Croisière bleue *(Mavi Yolculuk)* jouit à cet égard d'une renommée particulière: il s'agit d'une «virée» d'une semaine en yacht organisée par différentes agences. On peut l'entreprendre depuis Kuşadası, Bodrum, Datça et Marmaris (ou encore Fethiye et Kaş, sur la Méditerranée).

La saison idéale pour la plaisance va de mai à octobre. Sous l'effet du vent étésien *(meltem)*, qui souffle du nord-ouest en mer Egée, la mer risque d'être agitée l'après-midi. Il est déconseillé de faire la navette entre les eaux territoriales turques et grecques. Les trouvailles d'ordre archéologique ne doivent en aucun cas être déplacées; leur présence à bord d'un bateau peut entraîner la confiscation de celui-ci.

Pêche. A la ligne ou au filet, elle est autorisée sans permis, sauf en certaines zones (renseignez-vous auprès de l'office du tourisme local). Vous trouverez partout des pêcheurs disposés à vous emmener pour la journée. Il est d'autre part interdit de s'adonner à la pêche au harpon et à la plongée autonome – à moins de se faire accompagner par un guide turc agréé.

Vous aurez également, dans les grandes stations balnéaires, la pos-

sibilité de faire de la **planche à voile** et de jouer au **tennis.** A Istanbul, le tennis-club Tacspor (Yenigelin Sokak, 2, Suadiye) accepte les personnes qui n'en sont pas membres; des professeurs sont à votre disposition.

Ski. Uludağ, près de Bursa, est le centre de sports d'hiver en vogue. On y trouve diverses remontées mécaniques, donnant accès à des pistes de difficulté variée; l'ambiance, le soir, est élégante. La saison dure de janvier à avril; équipement disponible sur place. Erzurum, dans l'Est, possède aussi une station de ski.

Spectacles sportifs

Citons d'abord une variété de **lutte,** le *yağlı güreş)*. C'est à Edirne qu'il faut découvrir ce sport turc par excellence. Les concurrents, en pantalons de cuir et le corps frotté d'huile, exécutent une marche rituelle avant de se jeter l'un sur l'autre aux acclamations de leurs supporters respectifs. Si, d'autre part, vous vous trouvez à Selçuk, près de Kuşadası en janvier, allez assister à un **combat de chameaux** *(deve güreşi)*. Ce «sport» met aux prises des mâles peu commodes qui ne risquent guère de se blesser sérieusement.

En outre, des **courses de chevaux** se déroulent à l'hippo-drome de Veliefendi, près de Bakırköy, à environ 15 km d'Istanbul; les réunions ont lieu d'avril à décembre.

Les achats

Dans tout le pays, bazars, marchés et magasins regorgent d'articles attrayants qui, si on les trouve souvent à Istanbul, sont parfois de meilleure qualité, et meilleur marché, dans leur région de provenance. La pratique des prix fixes gagne du terrain, mais là où il vous faudra marchander, faites montre de fermeté, ce qui vous vaudra la considération du vendeur. Si, au cours des tractations, on vous offre du thé ou du café, acceptez sans arrière-pensées.

Les **tapis** viennent naturellement en tête des achats intéressants. Distinguons, en deux mots, les tapis, qui sont noués, et les kilims, tissés et ras. Ces pièces, dont il n'existe pas deux semblables, «meublaient» à l'origine les tentes des nomades: les premières comme tapis de sol, les secondes comme tentures. Elles présentent des motifs qui évoquent l'amour vrai, l'attente d'une gestation, ou qui sont censés protéger contre le «mauvais œil». Le prix d'un tapis est fonction de son ancienneté, de sa rareté et, s'il y a lieu, du nombre de nœuds au mètre carré. Les

149

YS - GÖREME VALLEY

connaisseurs, pour juger de la qualité de la laine ou de la soie, sefient à leur toucher et s'assurent que les couleurs sont naturelles.

Toute question de rareté mise à part, les tapis les plus chers sont en soie. Il existe du reste une variété meilleur marché, où la soie est mélangée à des fibres synthétiques; ces pièces-là peuvent constituer de belles tentures, mais posées sur le sol, elles ne dureraient pas. Les antiquités authentiques ne se rencontrent guère, et vous tomberiez sur une occasion qu'il vous faudrait une autorisation pour l'exporter. Le vendeur devrait se charger des formalités éventuelles. Précisons que nombre de marchands se font un devoir de signaler les tapis mécaniques.

Les **serviettes turques** sont renommées dans le monde entier. Elles furent créées à Bursa pour un sultan qui tenait à pouvoir se sécher instantanément au sortir du bain.

Des objets en **cuivre** ou en **laiton** repoussé reluisent à la porte de dizaines de boutiques ou d'échoppes. Bakırcılar Caddesi, dans le quartier de Beyazıt à Istanbul, est la rue qu'il convient d'explorer pour ce genre d'emplettes. Les braseros, en particulier,

Pour rapporter des souvenirs de poids, rien de tel qu'un tapis volant!

s'avèrent merveilleusement décoratifs. De moindre poids se trouvent les innombrables lampes, chandeliers, moulins à café et pots à manche pour la préparation du café.

De bon goût, la **cristallerie** est également bon marché. Les **assiettes en céramique** constituent d'agréables souvenirs, de même que les **faïences;** à ce sujet, si les plus belles sont les pièces anciennes d'Iznik, Bursa propose un large choix de faïences de fabrication récente dans les tons bleus et verts traditionnels. L'**onyx**, lui, est très répandu et une fabrique proche de Bergama produit des objets à la demande. D'autre part, des pipes et des figurines sont taillées dans l'**écume de mer** (magnésite). Enfin, imaginez la tête que feraient vos amis si vous rapportiez un narguilé!

En matière de **joaillerie,** vous ferez vos plus belles trouvailles dans les bazars. Cela dit, les bijouteries ne manquent pas dans les rues chics. L'or se vend normalement au poids, avec un supplément pour la façon.

Certains **tissus** sont ravissants, tout comme la **broderie.** Recherchez les corsages en coton écru (*şile bezi*) et les fichus (*yemeni*) bordés de dentelle à l'aiguille (*oya*). Les chaussettes et les bas tricotés en Anatolie centrale se signalent par leurs motifs aux couleurs éclatantes.

Les articles en **cuir** ou en **daim** sont avantageux et de superbe qualité. Vous pourrez aussi commander des chaussures sur mesure chez quelque cordonnier; ceci dit, les babouches agrémentées de pierreries font tout de même plus authentique.

D'innombrables **épices** et des substances comme le henné et le tabac à priser sont en vente au Bazar égyptien, à Istanbul, où vous dénicherez encore loukoums et remèdes galéniques.

Vous verrez bon nombre d'**antiquités,** telles que de la verrerie, des monnaies, des samovars et autres objets de la période ottomane. Un petit marché aux puces s'installe le dimanche aux abords du Marché aux Livres à Istanbul. Certaines boutiques se spécialisent dans la confection de séduisants colliers, bracelets et boucles d'oreilles à partir de fragments récupérés de bijoux anciens. A côté de cela sont proposés des épées et poignards factices, des marionnettes traditionnelles *Karagöz* (en peau de chameau), des perles bleues en guise de talisman, des chapelets musulmans (*tespih*) en olivier, en argent, en plastique. Mais les mélomanes préféreront sans doute s'offrir un *saz*, instrument voisin de la mandoline. Vous trouverez en outre des éponges et des sandales en cuir faites main.

Les distractions

La danse du ventre est, nul ne l'ignore, typiquement orientale et chaque jeune fille turque s'avère capable de s'y livrer. C'est, quand elle est exécutée par les meilleures danseuses, à peine vêtues d'un voile de gaze chatoyante, un spectacle plein de grâce, raffiné et érotique. Il existe un certain nombre de figures de base, mais en général les jeunes femmes improvisent au fur et à mesure, faisant pivoter leur bassin, relevant leur longue chevelure et mouvant la tête à l'horizontale, le tout souligné par des gestes expressifs et rythmé par de petites cymbales. Les plus grandes artistes se produisent dans les établissements de nuit les plus réputés, et les plus chers.

Les attractions visant un public touristique incluent des danses folkloriques, dont le caractère varie selon la région d'origine. On peut ainsi assister à une danse de la mer Noire, l'*horon*, dont les exécutants (des hommes), vêtus de noir et d'argent, frétillent comme des poissons pris au filet, un violon primitif étant chargé de l'accompagnement; ou bien à la «danse du sabre et du bouclier», caractéristique de Bursa, qui évoque la prise de la ville par les Ottomans. L'entraînante «danse des cuillers en bois» *(Kaşik Oyunu)* est rythmée par le claquement des manches.

Les dancings à la mode locale *(gazino)* proposent des danses et de la musique turques, ainsi qu'un spectacle de variétés; les *taverna* offrent un programme identique, dans une ambiance généralement plus exubérante. Discothèques et night-clubs ne diffèrent guère de leurs équivalents occidentaux. Les Turcs profitent de toutes les occasions pour danser, en général sur un pot-pourri d'airs orientaux et occidentaux, mais c'est aux accents de leur musique qu'ils se défoulent véritablement.

La musique recouvre plusieurs genres: chansons folkloriques, compositions classiques – surtout du XVIIIe siècle – et production populaire occidentalisée. Le Festival d'Istanbul, qui a lieu chaque année de la mi-juin à la mi-juillet, offre aux visiteurs l'occasion d'apprécier un programme très varié (billets en vente au Centre culturel Atatürk, place du Taksim). Ne manquez pas, d'autre part, les concerts que donne cinq fois par semaine l'orchestre Mehter au Musée militaire (voir p. 59).

L'Opéra d'Etat d'Istanbul d'excellent niveau, possède un vaste répertoire d'œuvres turques et occidentales, présentées d'octobre à mai au Centre Atatürk. Au même endroit et durant la même période, vous pourrez assister à des concerts de l'Orchestre symphonique d'Etat

d'Istanbul, à des récitals d'artistes turcs ou invités, ainsi qu'à des productions du Ballet national.

Les Turcs excellent au trictrac *(tavla)* et l'on rencontre de redoutables champions dans presque chaque café. A propos des cafés, rappelons qu'ils sont considérés comme le domaine exclusif des hommes, ce qui a pour effet d'empêcher les femmes de s'initier au narguilé. Nombre d'établissements

Au fil de l'été, la musique et le folklore, main dans la main, descendent dans la rue.

louent des pipes et en préparent à l'intention des novices. Le pays compte d'autre part sept casinos, qui proposent la plupart des jeux habituels.

Mais vous ne sauriez repartir sans avoir visité quelque bain turc,

154

de préférence l'un des plus célèbres, tel le Ca'alo'lu Hamamı dans Yerebatan Caddesi, splendide édifice du XVIIe siècle que fréquentent nombre d'étrangers, ou le Galatasaray Hamamı encore plus ancien (à Istanbul). Vous y passerez des moments réparateurs et relaxants. S'il existe en général des entrées séparées pour les messieurs (erkekler) et les dames (kadınlar), il arrive que des horaires ou des jours différents soient fixés pour chaque sexe. Après la sudation, la friction et le massage, et probablement plus léger de quelques kilos, vous vous sentirez en pleine forme.

Calendrier des manisfestations

Sauf en Février-mars, mois pendant lesquels le temps est souvent humide et triste, il se passe toujours quelque chose quelque part; pour les dates, consultez l'office du tourisme.

Janvier. *Selçuk* et *Aydin*: combats de chameaux.

Avril. *Manisa:* Fête du «mesir», à l'occasion de la préparation d'une panacée, le *mesir macunu. Istanbul:* Festival de la tulipe.

Mai. *Konya:* lancer du javelot à cheval (le week-end jusqu'en octobre). *Selçuk-Ephèse:* Festival de culture et d'art; concerts au théâtre antique d'Ephèse. *Bergama:* Festival de Pergame; théâtre, danses folkloriques, artisanat.

Juin. *Izmir:* Festival méditerranéen international. *Konya:* Fête de la rose. *Marmaris:* Festival de musique et d'art. *Edirne:* Tournoi de lutte turque. *Istanbul:* Festival international d'art et de culture (jusqu'á la mi-juillet).

Juillet. *Bursa:* Festival de folklore et de musique, Exposition commerciale et touristique. *Foça:* Festival de musique, de folklore et de sports nautiques.

Août. *Çanakkale;* Festival de Troie; danses folkloriques et musiques. *Izmir:* Foire internationale.

Septembre. *Bodrum:* Festival d'art et de culture. *Kirşehir:* Festival de folklore et d'artisanat Ahi Evran. *Çorum* (près d'Ankara): Festival hittite. *Cappadoce:* Festival de tourisme. *Mersin:* Salon du textile et de la mode. *Diyarbakın:* Fête de la pastèque. *Konya:* Concours culinaire.

Octobre. *Antalya:* Festival de cinéma et d'art.

Décembre. Province d'*Aydin:* combats de chameaux. *Kale:* Festival de la Saint-Nicolas. *Konya:* Festival Mevlana: danses des derviches tourneurs.

LES PLAISIRS DE LA TABLE

Les connaisseurs tiennent la cuisine turque pour l'une des meilleures du monde. «Manger turc», malgré tout, ne grèvera guère votre budget et partout, même dans le restaurant le plus modeste, vous serez invariablement traité en hôte de marque. Dans bien des établissements, vous avez toute latitude de pénétrer dans la cuisine afin de désigner ce qui vous fait envie.

Souvent, le cadre n'est pas moins remarquable que la chère, en particulier si vous dînez au bord de l'eau, sous un ciel tout étoilé, aux sons d'une musique orientale langoureuse, rythmée par le ressac.

Hors-d'œuvre et entrées

Meze, tel est le nom donné à une incroyable variété d'amuse-gueule, qui peuvent constituer un vrai repas à eux seuls. Donc, ne vous hâtez pas trop de commander un plat de résistance! Les *meze* froids vous sont en général présentés sur un plateau. Essayez par exemple les moules farcies, le *pastırma* (viande de bœuf séchée et poivrée), le concombre au yaourt relevé d'ail, la langue de bœuf fumée ou la purée de fèves.

Le terme *dolma* désigne des légumes farcis: poivrons, aubergines, tomates, feuilles de vigne. Avec l'excellent pain non levé *(pide)*, vous n'en savourerez que mieux les œufs de poisson au jus de citron et à l'huile *(tarama)*, les aubergines grillées mixées avec du citron ou du yaourt *(patlıcan salatası)*, ou encore le yaourt parfumé au thym *(haydariye)*.

Mais votre préférence ira peut-être à des entrées chaudes, telles que le foie de mouton épicé *(arnavut ciğeri)*, les feuilletés au fromage ou à la viande hachée *(muska böreği)*, voire les moules frites *(midye tava)*.

Soupes

Goûtez à la «soupe de noce» *(düğün çorbasıı)*, bouillon d'agneau relevé d'un filet de citron et lié au moyen d'un œuf battu. Ne méprisez pas non plus le potage aux lentilles rouges *(kırmızı mercimek çorbası)* ni la soupe aux tripes de mouton *(işkembe çorbası)*.

Poissons

Toute une variété de poissons d'une fraîcheur irréprochable – en Turquie, on ne badine pas sur ce point – s'offre à l'amateur, depuis l'espadon *(kılıç baliği)*, le lutjanide *(lüfer)*, le thon *(palamut)*, le maquereau *(uskumru)* ou le rouget *(barbunya)* jusqu'aux sardines et aux anchois. A Istanbul, les restaurants spécialisés élégants sont situés à Tarabya, sur le Bosphore, mais les bonnes adresses ne manquent pas en ville et sur les côtes.

Plats de résistance

Les brochettes, ou kebabs, constituent la spécialité du pays. Le fameux *şiş kebap*, composé de morceaux d'agneau et de tomates, est servi avec du riz; on appelle *döner kebap* la viande d'agneau ou de bœuf rôtie sur une broche verticale, puis découpée en lanières. Quant aux différents ragoûts de viande et de légumes qui apparaissent au menu, allez donc voir en cuisine de quoi il s'agit. Les végétariens seront également à la fête; on leur proposera partout assez de plats sans viande pour qu'ils n'aient pas besoin de chercher quelque restaurant spécialisé. Le riz pilaf *(pilav)* s'avère nourrissant, et le pilaf au blé concassé *(bulgur pilavı)* davantage encore.

Desserts

Là, vous vous croirez carrément transporté au temps des sultans! Les «lèvres de la bien-aimée» *(dilber dudağı)* et le «nombril de dame» *(hanım göbeği)* sont deux gourmandises frites. Le «nid du rossignol» *(bülbül yuvası)*, fourré aux noix, a une forme suggestive. D'autre part, la *baklava*, bien connue, se présente comme un feuilleté aux noix ou aux pistaches. Ces desserts sont servis imbibés de sirop.

Mais tout aussi recommandables sont les entremets et les confiseries. Si, parmi celles-ci, les loukoums *(lokum)* sont les plus célèbres, ne négligez pas la *helva*, pâte aux amandes qui évoque le nougat. Les fruits, cela va de soi, sont exquis: pêches mûres à point, brugnons (nectarines) charnus, melons jaunes de Çeşme, fraises, poires, cerises, raisins, selon la saison. Les noisettes et les amandes sont également succulentes.

Boissons

Le *rakı*, eau-de-vie anisée, se boit sec ou additionné d'eau, ce qui lui confère une couleur nacrée. Moitié moitié, telle est la proportion raisonnable pour un non-initié. La bière est très bonne, et les Turcs en font une grande consommation. Vodka, cognac, whisky et gin de fabrication locale, moins chers que leurs «modèles» étrangers, se révèlent très honorables.

Les vins du pays *(şarap)*, eux, jouissent d'une tradition neuf fois millénaire. Cependant, en dépit des mérites de leurs crus, les Turcs – pour d'évidentes raisons religieuses – ne sont pas de forts buveurs. Il n'en existe pas moins un bel éventail de rouges, de rosés, de blancs et de mousseux de qualité excellente, sinon exceptionnelle. La remarque vaut aussi pour les liqueurs à base de fruits, de café ou de cacao, et la liqueur de griotte *(vişne)*, est délicieuse.

Libre à vous de vous contenter d'eau en bouteille. En ce cas, n'oubliez pas que dans ce pays l'eau dite «minérale» *(maden suyu)* est effervescente. Outre l'exquis jus de cerise, vous découvrirez deux boissons typiques: le rafraîchissant *ayran*, yaourt battu avec de l'eau, et

l'aigrelette *boza*, breuvage riche en calories issu de la fermentation du millet.

Le café *(kahve)*, préparé à la turque, est servi noir avec son marc dans des tasses minuscules. N'oubliez pas de préciser si vous le désirez *sade* (sans sucre), *az şekerli* (peu sucré), *orta şekerli* (sucré) ou *çok şekerli* (très sucré). Avant de déguster votre café, laissez au marc le temps de se déposer!

Ajoutons que les Turcs boivent du matin au soir de grands verres d'un thé *(çay)* noir et corsé, servi très chaud.

Sur le pouce

Ne manquez pas de goûter à ces petits pains ronds au sésame *(simit)* que proposent les marchands de rues, goûtez aussi aux excellents sandwichs au poisson fraîchement pêché au large d'Istanbul. Les épis de maïs ont également leurs amateurs. Quant à la «pizza à la turque» *(Karadeniz pidesi)*, elle est originaire de la région de la mer Noire. Sur la Côte égéenne, vous constaterez que le concombre *(salatalık)* étanche merveilleusement la soif, tout comme la pastèque *(karpuz)* d'ailleurs. Nous vous recommandons enfin les glaces, les sorbets et les gâteaux. Par prudence, réservez votre clientèle aux vendeurs dont l'étal semble bien propre.

BERLITZ-INFO

Les titres de nombreuses rubriques sont suivis de leur traduction en turc, en général au singulier. Dans certain cas, les informations s'achèvent sur quelques expressions clefs qui devraient, les cas échéant, vous tirer d'embarras.

SOMMAIRE

A AÉROPORTS *(havaalani)*

Ankara. Esenboğa est à 35 km de la capitale, soit à 20 min seulement en taxi (à peine plus en autobus); cet aéroport comporte tous les aménagements habituels.

Istanbul. Tous les vols, internationaux ou non, font escale à Atatürk Hava Limanı, à 23 km de la ville. Les Lignes aériennes turques (THY, *Türk Hava Yollari*) exploitent un service de bus entre l'aéroport, Bakirköy, Aksaray et le terminal de Şişhane, au centre d'Istanbul.

Izmir. L'aéroport international Adnan Menderes (à 15 km d'Izmir) est relié au centre-ville par des autobus – ainsi que par des trains réguliers, dont la gare de Basmane constitue le terminus.

Porteur, s'il vous plaît!	**Hamal, lüften!**
Veulillez porter cez bagages	**Lüften bu çantalari otobüse/**
Jusqu'au bus/taxi.	**Taksiye götürün.**

ANTIQUITÉS *(antika eşya)*

L'achat d'antiquités étant rigoureusement interdit, assurez-vous que votre trouvaille n'est pas classée comme objet à caractère historique, susceptible d'être confisqué à la douane et, en plus, de vous valoir des ennuis. Attendez-vous à devoir présenter une facture au moment du départ. Les monnaies anciennes sont particuliérement protégées. Tout marchand qui se respecte saura en principe vous renseigner au sujet des formalités.

ARGENT

Monnaie. L'unité monétaire est la livre turque, ou *lira* (en abrégé *TL*). Pièces: 100, 500, 1000, 2500 et 5000 TL. Billets: 1000, 5000, 10 000, 20 000, 50 000, 100 000, 250 000 et 500 000 TL.

Banques *(banka).* Elles sont ouvertes de 8 h 30 ou 9 h à 17 h ou 17 h 30 du lundi au vendredi, avec une pause pour le déjeuner de 12 h ou 12 h 30 à 13 h ou 13 h 30. Le change s'effectue d'habitude jusqu'à 16h, après quoi vous pourrez toujours changer de l'argent dans les grands hôtels. Pensez à vous munir de votre passeport, et conservez bien vos bordereaux de change.

Eurochèques, chèques de voyage, cartes de crédit. Vous avez la possibilité de changer vos eurochèques au siège des banques importantes ainsi que dans leurs principales succursales. Quant à vos chèques de voyage, vous pourrez les toucher dans les banques principales, telle que la Türikiye

Is Bankasi, et dans les grands hôtels. Les cartes de crédit, elles sont honorées dans les établissements hôteliers ou autres orientés vers le tourisme. Là encore, votre passeport vous sera demandé. C'est en principe le taux pratiqué par la Banque centrale de Turquie – taux publié par les divers quotidiens – qui est appliqué. Certains hôtels prélèvant 1% de commission.

Je voudrais changer des francs belges/français/suisses/dollars canadiens.	**Belçika/Fransiz/Isviçre frangı/Kanada doları bozdurmak istiyorum.**
Puis-je payer avec cette carte de crédit?	**Bu kredi kartımla ödeyebilir miyim?**

CAMPING *(kamping)*   C

Les terrains homologués par le Ministère de la culture et du tourisme de Turquie, s'ils sont en nombre limité, comportent en général l'électricité, des douches, des toilettes, des locaux pour la cuisine et la lessive, ainsi qu'un magasin. Ils sont ouverts d'avril ou mai à octobre. Particulièrement recommandables sont les terrains gérés par la Mocamp-Kervansaray, d'ailleurs agréés eux aussi par le ministère compétent. Si vous tenez à camper en dehors des sites aménagés, présentez-vous aux autorités locales et ne plantez pas votre tente sans l'autorisation du propriétaire des lieux. Ceci dit, il est plus prudent de s'installer, si possible, à proximité d'autres campeurs.

CARTES et PLANS

Le Ministère du tourisme de Turquie diffuse gratuitement ces documents par l'intermédiaire des bureaux de tourisme et d'information. La cartographie du présent guide a été établie par Falk-Verlag, à Hambourg, qui a publié d'autre part un plan d'Istanbul.

CLIMAT

Le printemps et l'automne constituent les périodes les plus favorables pour le tourisme. Les régions proches de la mer de Marmara, de la mer Egée et de la Méditerranée connaisent des étés chauds, la côte méditerranéenne jouissant d'hivers doux. Des averses saisonières se produisent à proximité de la mer Noire, tandis que certains secteurs de l'Anatolie se signalent par la soudaineté de leurs orages.

A Istanbul, les précipitations se concentrent d'ordinaire sur janvier-février, période où la neige n'est d'ailleurs pas inconnue, loin de là. En Turquie orientale, les étés s'avèrent souvent brûlants et les hivers rudes.

		J	F	M	A	M	J	J	A	S	O	N	D
Ankara	max.	4	6	11	17	23	26	30	31	26	21	14	6
	min.	-4	-3	-1	4	9	12	15	15	11	7	3	-2
Istanbul	max.	8	9	11	16	21	25	28	28	24	20	15	11
	min.	3	2	3	7	12	16	18	19	16	13	9	5
Izmir	max.	13	14	17	21	26	31	33	33	29	24	19	14
	min.	4	4	6	9	13	17	21	21	17	13	9	6
Samsun	max.	10	11	12	15	19	23	26	27	24	21	17	13
	min.	3	3	4	7	12	16	18	18	16	13	9	6

Les températures minimales sont mesurées juste avant le lever du soleil, les températures maximales dans l'après-midi.

COMMENT Y ALLER

Par avion. Istanbul, premier aéroport international du pays (voir p. 162), est relié directement aux principales villes européenes, dont *Bruxelles* (sept à neuf vols hebdomadaires, en 3 h 10 min), *Genève* (trois vols par semaine *via* Zurich, en 4 h 14 min – un vol par jour au départ de cette dernière) et *Paris* (deux ou trois vols quotidiens, en 3 h 15 min). Si vous partez de *Montréal*, vous devrez changer, selon les cas, à Paris, Londres, Amsterdam, Bruxelles ou Zurich. Comptez entre 11 et 17 h de voyage.
Pour Ankara ou Izmir, il faut généralement transiter par Istanbul, Zurich, Francfort ou Vienne.

Les agences de voyages proposent toutes sortes de tarifs spéciaux. Ainsi, les tarifs Pex et Apex *au départ de la Belgique*; Super Pex *au départ de la France*; Pex Mid (et All) Week *au départ de la Suisse*; partout, on vous proposera les tarifs «excursion» et «spécial jeunes». *Au départ du Canada*, vous opterez pour le tarif Apex ou excursion. Renseignez-vous également au sujet des vols charter, nombreux en Europe.

Par bateau. En saison, des transbordeurs assurent des services réguliers entre Venise et Istanbul/Izmir, Ancône et Izmir. Sur la mer Egée, des bacs effectuent la navette entre certaines îles grecques et divers ports turcs. En été, d'autre part, le *MV Orient Express* – tout en assurant le transbordement des véhicules – accomplit une croisière de huit jours en partant de Venise et touchant en particulier Istanbul et Kuşadası, où vous pourrez interrompre votre périple.

Par train. De *Bruxelles,* le mieux est de rejoindre Paris (ci-dessous). De *Genève,* vous rallierez Venise par un train de jour; de là le *Venezia Express* (train de nuit) vous conduira à Belgrade, d'où un autre convoi de nuit vous emmènera à Istanbul; comptez 52 h de voyage, avec deux changements. De *Paris,* le plus simple est de gagner Munich par un train de jour, le *Mozart,* puis de prendre l'express de nuit, le *Hellas Istanbul Express* (couchettes et voitures-lits jusqu'à Istanbul); 53 h de voyage et un changement.

Par route. Vous pouvez passer par la Grèce et entrer en Turquie avant Kesan. Votre club-automobile saura vous conseiller. (Pour les conditions de circulation en Turquie, voir pp. 165–167.)

Distances approximatives: *Bruxelles–Munich–Istanbul,* 2730 km (3070 km par la Grèce); *Genève–Milan–Istanbul,* 2320 km (2660 km par la Grèce); *Paris–Munich–Istanbul,* 2770 km (3110 km par le Grèce).
Des autocars effectuent des liasions régulières entre diverses villes comme Genève, Munich, Paris ou Vienne, et Istanbul.

CONDUIRE EN TURQUIE

Passage de la frontière. Pour entrer dans le pays en voiture, vous devrez posséder:

- un permis de conduire valide ou un permis international

- la carte grise (permis de circulation)

- un indicatif de nationalité, autocollant ou non

- un certificat international d'assurance (carte verte) ou, à défaut, une assurance au tiers. (*N.B.* Assurez-vous que la-dite assurance couvre les risques d'accident aussi bien pour la Turquie d'Asie que pour le Turquie d'Europe.)

Comme vous traverserez probablement d'autres pays avant d'atteindre la Turquie, renseignez-vous également sur les différentes réglementations nationales auprès de votre automobile-club et/ou de votre assureur. Pour tout séjour excédant trois mois, il est nécessaire de se procurer un triptyque – ou carnet de passage – auprès du Touring et Automobile-Club de Turquie (TTOK, *Türkiye Turing ve Otomobil Kurumu*).

A la douane, votre passeport doit être tamponné et revêtu d'une inscription relative à votre véhicule.

Votre voiture devra être équipée de deux triangles de panne, ainsi que d'une trousse de premiers secours. Ajoutons que les motocyclistes et leurs passagers sont tenus de porter un casque.

Limitations de vitesse. 50 km/h en zone urbaine, 70 km/h à la sortie de certaines agglomérations, 90 km/h sur route; 40 km/h et 80 km/h respectivement pour les véhicules tractant une caravane. De toute façon, les Turcs se souciant modérément de ces limites, la prudence s'impose.

Conditions de circulation. Aucun problème autour d'Istanbul et des autres grands centres touristiques, les routes se révélant bien entretenues. Ailleurs, c'est une autre histoire: des kilomètres et des kilomètres de routes secondaires, de même que maints tronçons de routes principales, ne sont guère accessibles qu'aux véhicules les plus robustes et aux conducteurs les plus aguerris.

Dès la tombée de la nuit, le danger augmente: charrettes non éclairées surgissant dans le noir ou cyclistes également démunis de lumière et roulant carrément à gauche.

Police de la route et accidents. En cas d'accident, il faut immédiatement avertir la police, *qu'il y ait ou non des blessés,* la loi exigeant qu'un rapport soit établi. La police de la route s'avère compréhensive à l'égard des étrangers, mais fait montre de sévérité en cas d'excès de vitesse ou de conduite en état d'ébriété. Précisons que les contrôles de police (radar ou autres) sont courants sur les grands axes.

Remarque: En Turquie, l'alcool au volant est strictement interdit. L'assurance contractée en louant un véhicule pourrait fort bien se révéler inutile, s'il est démontré que vous n'étiez pas sobre en prenant le volant.

Pannes. Les mécaniciens turcs sont extrêmement compétents et disposent d'un incroyable choix de pièces détachées. Néanmoins, comme des problèmes risquent de se poser pour certains modèles étrangers, emportez les pièces de rechange qui pourraient vous être utiles. Si, par malchance, vous tombez en panne, probablement quelqu'un s'arrêtera-t-il pour vous donner un coup de main ou tout au moins, pour vous conduire jusqu'au garage le plus proche. Les ateliers de réparations sont nombreux, qu'il s'agisse des *Oto Lastik* (spécialités des pneus), des *Oto Eksoz* (experts en échappement) et autres *Oto Elektrik.* Au besoin, le Touring et Automobile-Club de Turquie vous aidera à dénicher un dépanneur. Quelques adresses du TTOK:

Istanbul et sa région: Halaskargazi Caddesi 364, Şişli; tél (1) 231 46 31

Ankara: Yenişehir, Adakale Sok. 4/11; tél. (4) 222 8723

Izmir: Atatürk Bulvarı 370; tél. (51) 21 71 49

Si vous êtes détenteur d'une lettre de crédit ou d'un livret d'entraide internationale délivré par votre automobile-club, le TTOK fera effectuer les réparations nécessaires et enverra la facture à votre domicile. Cette même organisation accorde l'assistance requise aux membres des principales associations automobiles et prend à sa charge, s'il y a lieu, le rapatriement de tout véhicule endommagé.

Nota bene: St vous êtes contraint de laisser votre véhicule en Turquie, vous devrez le présenter au poste de douane le plus proche ou aux services administratifs locaux afin de faire supprimer la mention lui étant relative dans votre passeport, et c'est alors, seulement, que vous aurez le droit de quitter le pays.

Signalisation. La plupart des panneaux routiers recourent aux pictogrammes en usage dans toute l'Europe; certains portent cependant des inscriptions, ainsi:

Azami park 1 saat	*Stationnement limité à 1 heure*
Bozuk yol/satıh	*Revêtement défectueux*
Dikkat	*Attention*
Dur	*Stop*
Durmak yasaktır	*Arrêt interdit*
Klakson çalmak yasatır	*Interdiction de klaxonner*
Kaygan yol	*Chaussée glissante*
Park yapılmaz	*Stationnement interdit*
Tamirat	*Travaux*
Yavaş	*Ralentir*
Sommes-nous bien sur la route de ...?	**... için doğru yolda mıyız?**
Le plein, s'il vous plaît.	**Doldurun, lüften.**
normale/super/gazole	**normal/süper/motorin**
Veuillez contrôler l'huile/les pneus/la batterie.	**Yağı/Havayı/Aküyü kontrol edebilir misiniz, lüften.**
Je suis tombé en panne.	**Arabam arızalandı.**
Il y a eu un accident.	**Bir kaza oldu.**

CONSULATS et AMBASSADES *(konsolosluk, elçilik)*

En cas de problème, n'hésitez pas à vous adresser à la représentation consulaire ou diplomatique compétente:

Belgique *Consulat général:* Sıraselviler Caddesi 73, Taksim, Istanbul; tél. (1) 143 33 00/1
Ambassade: Nene Hatun Caddesi 109, Gaziosmanpaşa, Ankara; tél. (4) 27 19 24/25 ou 26 25 33

Consulat: Atatürk Caddesi 186/2, Alagi Apartmani, Daire 3, Izmir; tél. (51) 21 88 47

Canada *Consul général honoraire:* M. Yavuz Kireç, Büyükdere Caddesi, Bengün Han 107, Kat 3 Kayrettepe, Istanbul; tél. (1) 272 51 74
Ambassade: Nene Hatun Caddesi 75, Gaziosmanpaşa, Ankara; tél (4) 436 12 75/8

France *Consulat général:* Istiklâl Caddesi 8, Taksim, Istanbul; tél. (1) 43 18 52/3
Ambassade: Paris Caddesi Kavaklidere 70, Ankara; tél. (4) 168 11 54

Suisse *Consulat général:* Hüsrev Gerede Caddesi 75/3 2e ét., Teşvi-
kiye, Istanbul; tél. (1) 159 11 15/6/7/8
Ambassade: Atatürk Bulvarı 247, posta Kutusu 25, Kavaklıdere, Ankara; tél. (4) 167 55 55/56 ou 167 11 98

D DÉCALAGE HORAIRE

Le pays vit à l'heure de l'Europe orientale, soit TU +2. En été, les horloges sont avancées d'une heure (TU +3). Ainsi, à la belle saison, quand il est midi à Istanbul, il est 11 h à Bruxelles, à Genève ou à Paris, et seulement 5 h à Montréal.

DÉLITS et VOLS

Si les agressions envers les touristes demurement heureusement rares, des pickpockets des deux sexes, pleins d'habileté et d'imagination, opèrent parfois dans la foule. Moralité: déposez valeurs et objets précieux dans le coffre de votre hôtel! Un mot encore: fuyez comme la peste les changeurs à la sauvette!

DOUANE et FORMALITÉS D'ENTRÉE

(Voir aussi CONDUIRE EN TURQUIE.) La plupart des touristes – en particu-
lier les Belges, les Français, les Luxembourgeois et les Suisses – n'ont besoin que d'une carte d'identité nationale; les Canadiens, eux, doivent présenter un passeport valide. D'autre part, aucun certificat de vaccination n'est requis.

Transistors, enregistreurs à cassettes, etc. devraient être inscrits sur votre passeport à l'entrée en Turquie; vous seriez ainsi assuré de pouvoir les remporter sans problème à l'issue de votre séjour. Rappelons que l'achat et l'exportation d'antiquités sont interdits.

Le tableau ci-après vous indique les principaux articles que vous êtes autorisé à introduire en franchise en Turquie et, au retour, dans votre propre pays:

Entrée en/au:	Cigarettes		Cigares		Tabac	Alcool		Vin
Turquie	300	ou	50	ou	200g	5 l*		
Belgique	200	ou	50	ou	250g	1 l	et	2 l
Canada	200	ou	50	ou	900g	1.1 l	ou	1.1 l
France	200	ou	50	ou	250g	1 l	et	2 l
Suisse	200	ou	50	ou	250g	1 l	et	2 l
* en bouteilles ouvertes, dont 3 litres de whisky au maximum								

Restrictions de change. Il n'existe aucune limitation à l'importation d'argent turc ou de devises étrangères. Toutefois, le montant en devises devrait être spécifié à l'arrivée sur votre passeport, afin de prévenir des difficultés au moment du départ. Toute somme ne dépassant pas l'équivalent de 5000 dollars américains en livres turques – de même que les devises à concurrence du montant importé – peut être ressortie.

Conservez vos bordereaux de change, car il est possible que vous ayez à les produire à votre départ, quand vous voudrez reconvertir le reste de vos livres turques en monnaie étrangère et emporter vos souvenirs, dont ces documents prouveront que l'achat a été effectué avec des devises converties légalement.

Je n'ai rien à déclarer	**Deklare edecek birşeyim yok.**

EAU (su)   E

L'eau du robinet est fortement chlorée et, par conséquent, tout à fait potable, mais d'un goût déplaisant. L'eau en bouteille, gazeuse ou non, s'avère plus agréable; en outre, elle ne coûte pas cher.

Je voudrais une bouteille d'eau minérale.	**Bir şişe maden suyu istiyorum.**
gazeuse/plate	**soda/su**
de l'eau potable	**su içilebilir**

G GUIDES

Les agences de voyages sont tenues d'employer des guides sur tous leurs circuits. Autrement, des guides officiels portant un insigne noir et blanc sont postés à l'entrée des principaux sites; ils travaillent moyennant une rétribution fixe. Vous avez également la possibilité d'engager un cicérone en vous adressant au bureau local de tourisme et d'information. Il arrive aussi que des archéologues ou des universitaires acceptent de jouer les guides; consultez le personnel du musée local à ce propos! Pour certains sites difficiles à trouver, remettez-vous-en au premier gamin qui vous proposera ses services.

H HABILLEMENT

A la mer, des vêtements légers et décontractés feront l'affaire; prévoyez tout de même quelque chose d'habillé pour sortir. Sur les sites archéologiques, chapeau, lunettes de soleil et bonnes chaussures sont indispensables. A noter qu'un certain formalisme est de mise en ville, surtout le soir, où les Turcs s'habillent volontiers. Comme, d'autre part, les soirées peuvent s'avérer fraîches, pensez à prendre un chandail ou une veste. En Turquie orientale, vous aurez besoin d'un anorak, en particulier si vous envisagez de monter au Nemrut Daği pour assister au lever du soleil. Glissez aussi dans vos bagages un parapluie, ainsi qu'une lotion anti-moustiques – bien utile aux environs de Silifke et en divers secteurs du littoral méridional.

Homme ou femme, on se déchausse pour visiter les mosquées. Il va de soi que les décolletés provocants, les shorts et les minijupes sont à proscrire; les femmes devraient au surplus se couvrir les bras (et la tête pour la prière; des foulards sont parfois fournis, mais le mieux serait d'en avoir toujours un sur soi).

HEURES D'OUVERTURE DES BUREAUX ET DES MAGASINS

Les administrations et les maisons de commerce sont ouvertes de 8 h 30 à 12 h 30 et de 13 h 30 à 17 h 30 du lundi au vendredi. Quant aux magasins, ils ouvrent en principe de 9 h ou 9 h 30 à 19 h du lundi au samedi. Sur la côte, en été, certains établissements – du moins ceux qui ne vivent pas du tourisme – demeurent fermés l'après-midi. Dans les lieux touristiques, en revanche, les petits commerces ferment plus tard et ouvrent même le dimanche.

Les musées sont généralement ouverts tous les jours (à l'exception du lundi), entre 8 heures et 18 heures.

JOURNAUX et MAGASINS   J

Dans les principales villes et les grands hôtels, les kiosques proposent un choix de quotidiens et de magazines étrangers, mis en vente un ou deux jours après leur parution.

D'autre part, la Direction générale de la presse et de l'information publie chaque semaine un digest en plusieurs langues dont le français, le *Newspot,* qui peut être obtenu gratuitement dans les bureaux de tourisme.

Avez-vous des journaux en français?   **Bir Fransız gazeteniz var mı?**

JOURS FÉRIÉS *(milli bayramlar)*

Le tableau ci-après indique les fêtes à l'occasion desquelles banques, écoles, bureaux et magasins sont fermés. L'après-midi précédant un jour férié est souvent chômé, lui aussi.

1er janvier	*Yılbaşı*	Jour de l'an
23 avril	*23 Nisan Çocuk Bayramı*	Indépendance nationale et Journée de l'enfance
19 mai	*Gençlik ve Spor Bayramı*	Fête de la jeunesse et des sports
30 août	*Zafer Bayramı*	Fête de la Victoire
29 octobre	*Cumhuriyet Bayramı*	Fête de la République turque

En dehors de ces fêtes civiles, les musulmans observent deux importantes périodes de jours saints, qui, fondées sur le calendrier lunaire, reviennent de dix à vingt-deux jours plus tôt chaque année. La première, *Şeker Bayramı* (Fête du sucre), suit les quatre semaines de jeûne et de prières diurnes qui marquent le ramadan *(Ramazan),* elle dure de trois à cinq jours. La seconde, *Kurban Bayramı* (Fête du sacrifice), qui dure, elle, quatre ou cinq jours, est célébrée deux mois et dix jours plus tard. Durant ces périodes, le cours normal des occupations est suspendu.

LANGUE   L

Le turc se rattache au groupe ouralo-altaïque, qui comprend les familles finno-ougrienne (finnois, hongrois), samoyède et altaïque. C'est à cette dernière famille qu'appartient le turc; l'usage de l'alphabet latin fut imposé, entre autres réformes, par Atatürk dans les années vingt. Il s'agit d'une langue agglutinante: le sens est modifié par le jeu des suffixes, ce qui donne parfois des mots extrêmement longs.

Le français, autrefois la langue étrangère la plus répandue, en particulier dans la région d'Istanbul, est aujourd'hui supplanté par l'anglais. Les gens qui travaillent dans la sphère touristique, tels que le personnel des grands hôtels, parlent l'anglais. De toute façon, que vous sachiez ou non cette langue, tout le monde fera de réels efforts pour vous comprendre.

Le turc comporte quelques lettres spéciales ou de prononciation particulière:

c se prononce **dj** (comme dans djebel)

ç se prononce **tch** (match)

e se prononce **è** (après)

g se prononce toujours **gu** (bague)

ğ quasi imperceptible, allonge la voyelle précédente

h toujours aspiré

ı «i» sans point; son bref intermédiaire entre **eu** et **i**

ö se prononce **eu** (mieux)

ş se prononce **ch** (chat)

u se prononce **ou** (journal)

ü se prononce **u** (fumée)

Quelques phrases ou locutions usuelles:

Bonjour (familier)	**Merhaba**
Bonjour (le matin)	**Günaydın**
Bonjour (l'après-midi)	**Iyi günler**
Bonsoir	**Iyi akşamlar**
Au revoir (dit par celui qui s'en va)	**Allahaısmarladık**
Au revoir (dit par celui qui s'en reste)	**Güle güle**
Bonne nuit	**Iyr geceler**
Parlez-vous le français?	**Fransızca biliyor musunuz?**
Je ne parle pas le turc.	**Türkçe bilmiyorum.**
Oui/Non	**Evet/Hayır**

LOCATION DE VOITURES *(araba kiralama)*

(Voir aussi CONDUIRE EN TURQUIE.) Les firmes internationales et locales possèdent des agences dans les principales villes; elles sont également représentées dans les aéroports internationaux. Commencez par demander si aucune réduction n'est consentie pour une location de trois ou quatre semaines. Les voitures proposées sont essentiellement des *Fiat/Murat 124* ou *131,* des *Renault 12* ou des *Ford Taurus,* toutes montées en Turquie.

Pour toute location, si un simple permis de conduire valide suffit, il est recommandé de présenter un permis international. Selon la firme et le type de véhicule, l'âge minimal requis est de 19, 21, 25, voire 28 ans. On vous réclamera d'habitude une caution, sauf si vous payez à l'aide d'une carte de crédit.

Etant donné l'état de certaines routes, vous seriez bien inspiré de prier le loueur de s'assurer du bon état de votre voiture!

LOGEMENT (voir aussi CAMPING)

Le Ministère de la culture et du tourisme de Turquie a réparti un certain nombre d'hôtels, de motels et de pensions en catégories allant du luxe à la quatrième classe. Les établissements les mieux classés offrent un confort optimal, répondant ainsi aux normes internationales en la matière. Beaucoup d'autres, en particulier sur la Côte égéenne, sont contrôlés par les municipalités. Cependant, si vous projetez de sortir des sentiers battus, probablement aurez-vous à vous contenter de logements non classifiés, autrement dit simples sinon primitifs.

De nombreux hôteliers ne comptent qu'un supplément pour les enfants partageant la chambre des parents. Vérifiez que le petit déjeuner, les taxes (TVA, 12%) et le service (15%) sont bien inclus dans le prix de la chambre.

Hôtels *(otel).* Les grandes villes disposent pour la plupart d'hôtels de première et/ou de deuxième classe. Adana, Ankara, Antalya, Bursa (Brousse), Istanbul et Izmir possèdent la quasi-totalité des établissements de luxe. Dans tous les cas, consultez l'annuaire des hôtels établi par le ministère compétent, document disponible dans les bureaux de tourisme et d'information.

Appartements *(apartman dairesi)* **et villas** *(villa).* On trouve à louer de tels logements meublés ou non; pour un long séjour, cette solution revient évidemment moins cher qu'une chambre d'hôtel. Repérez les panneaux portant l'indication Kiralık (A louer) ou adressez-vous à une agence immobilière.

Motels *(motel).* Classés en trois catégories, ils sont presque toujours équipés d'une douche, de toilettes et de la radio; certains comportent un climatiseur et un réfrigérateur. Si, en principe, les chambres sont prévues pour héberger deux personnes, les gérants se montrent pour la plupart compréhensifs et acceptent d'installer des lits supplémentaires pour les enfants.

Villages de vacances *(tatil köyü).* Situés au bord de la mer, ces villages, répartis en deux catégories (A et B), disposent d'appartements meublés. Tous offrent, entre autres commodités, un magasin et un restaurant, et souvent aussi une piscine.

Pensions *(pansiyon).* Elles permettent de se faire une idée plus précise de la vie quotidienne en Turquie. Le petit déjeuner est compris dans le prix de la chambre, et vous aurez en certains cas la possibilité de préparer vos repas. Toilettes et salle de bains sont en général communes. Ceci dit, il n'est rien de meilleur marché qu'un dortoir, susceptible d'accueillir jusqu'à six pensionnaires.

Auberges de jeunesse *(talebe yurdu).* Divers avantages sont offerts aux titulaires d'une carte de la Conférence internationale de tourisme des étudiants (ISTC/CITE) ou de la Fédération internationale des auberges de jeunesse (IYHF/FIAJ), de même qu'aux touristes dont le passeport porte la mention étudiant ou enseignant. (A noter que la carte de l'ISTC donne droit, d'autre part, à des réductions sur les lignes aériennes et maritimes turques, tant intérieures qu'internationales, et dans les trains, ainsi que sur les entrées aux musées, cinémas et salles de concert.) Précisons, enfin, que les auberges sont généralement ouvertes de juillet à septembre.

Je désire une chambre pour une personne/deux personnes.	**Tek/Çift yataklı bir oda istiyorum.**
avec bains / douche	**banyolu / duşlu**
Quel est le prix pour une nuit?	**Bir gecelik oda ücreti ne kadar?**

O OFFICES DU TOURISME *(turizm danişma bürosu)*
Le Ministère du toruisme de Turquie est représenté par le Bureau de tourisme et d'information de Turquie, dont le siège est situé:

Gazi Mustafa Kemal Bulvarı 121, Ankara; tél. (4) 229 2631/231 5572. Renseignements: tél. (4) 488 7007.

Adresses de quelques bureaux de tourisme et d'information de Turquie à l'étranger:

Belgique 4, rue Montoyer, 1040 Bruxelles; tél. 502 26 26 ou 513 82 30

Canada S'adresser au Turkish Tourism and Information Office aux Etats-Unis: 821 United Nations Plaza, 3e ét., New York NY 10017; tél. (212) 687 21 94

France   102, avenue des Champs-Elysées, 75008 Paris; tél. (1) 45 62 78
              68 et 45 62 26 10

Suisse   Talstrasse 74, 8001 Zurich; tél. (01) 221 08 10/2

Dans le pays, chaque localité de quelque importance possède son bureau
de tourisme et d'information.

Où est l'office du tourisme?	**Turizim bürosu nerede?**

POLICE (polis)   P

Istanbul s'est doté d'un corps de police spécialisé dont la mission est de
venir en aide aux touristes confrontés à quelque problème que ce soit. Ses
membres arborent un insigne marqué Turizm Polisi, et son siège est situé
dans Yerebatan Caddesi 6, Sultanahmet, tél (1) 527 45 03/528 536. A part
cela, signalons l'existence, dans les villes, de brigades chargées de la circulation *(trafik polisi)* et, dans les petits localitiés dépourvues de forces de
police, de gendarmes *(jandarma)* relevant de l'armée.

Où est le poste de police le plus	**En yakın nerede?**
proche?	

POSTES et TELECOMMUNICATIONS

Bureaux de poste *(postane).* Ils sont signalés par les lettres PTT *(poste,
Telefon, Telegraf)* en noir sur fond jaune. Les postes des principales villes
– de même que celles de nombreuses localités de moindre importance –
restant ouvertes vingt-quatre heures sur vingt-quatre, y compris le week-
end, en ce qui concerne le téléphone, voire parfois le dépôt des télégrammes ou le change. (S'il s'agit d'encaisser un postchèque, rendez-vous
au guichet «Havale».) Pour d'autres opérations, le service est quelquefois
assuré jusqu'à minuit. Les bureaux de quartier, eux, sont ouverts jusqu'à
17 h 30 du lundi au vendredi, et il arrive qu'ils ferment à l'heure du déjeuner.

   Les grands hôtels ont leur propre guichet postal: sinon, la réception se
chargera de vos cartes. (Timbre se dit pul.) Si vous souhaitez recevoir du
courrier, faites-le donc expédier en poste restante au bureau principal
(Merkez Postanesi) des localités où vous prévoyez de séjourner.

   Quant aux boîtes aux lettres *(posta kutusu),* elles sont peintes en jaune.
Les mots *yurt disi* signifient étranger, *yurt içi* interieur du pays et *şehir içi*
local.

Télégrammes. Deux modes d'acheminement – normal ou urgent *(acele)* –
sont prévus à destination de l'étranger; il existe également un service éclair
(yıldırım) pour la Turquie. Toutefois, il est plus économique et pas moins
rapide d'utiliser le téléfax *(faksimil mektup)*, des télécopieurs étant installés dans les postes des grandes villes.

Téléphone. Pour téléphoner d'une cabine, procurez-vous des jetons
(jeton) ou une télécarte dans les bureaux de poste et, à l'occasion, auprès
de certains commerçants. Il existe trois sortes de jetons: les grands *(büyük)*
et les moyens *(normal)*, qui conviennent pour les communications à
longue distance ou avec l'étranger, et les petits *(küçük)*, réservés aux appels locaux. Si l'appareil ne porte que les indications *büyük* et *küçük*, cela
veu dire que les jetons moyens comptent pour des grands. Vous pourrez
utiliser votre télécarte dans la plupart des bureaux de poste et dans les
cabines téléphoniques équipées à cet usage.

Pour toute communication internationale, décrochez le combiné, in-
sérez le jeton approprié et composez le 9; suivi par l'indicatif du pays. Des
bips-bips rapides signalent qu'il est temps d'insérer un nouveau jeton.
Evitez de téléphoner depuis votre hôtel: vous risqueriez de vous voir fac-
turer 50% ou plus de commission. Aussi est-il en général bien plus avantageux d'utiliser les cabines publiques – plus rapide aussi, car, pour une
communication établie par l'intermédiaire d'une opératrice, l'attente peut
atteindre une heure environ.

Avez-vous du courrier pour moi?	**Bana posta var mı acaba?**
Un timbre pour cette lettre / carte postale, s'il vous plaît.	**Bu mektup / kart için bir pul, lütfen.**
par avion / recommandé	**uçak ile / taahütlü**
Je désire envoyer un télégramme à...	**... (ya) bir telegraf yollamak istiyorum.**

POURBOIRES

Le service est en général porté sur la note à l'hôtel et sur l'addition au restaurant. Néamoins, un petit pourboire sera apprécié dans la plupart des cas.
Toutefois, comme il arrive que certaines personnes s'en montrent of-
fusquées, n'insistez pas si votre offre est déclinée avec quelque fermeté.

176

Bagagiste (à l'hôtel)	5000 TL par bagage
Femme de chambre	de 10 000 à 20 000 TL par semaine
Garçon	5% si service inclus, sinon 10%
Chauffeur de taxi	Arrondir aux 1000 TL supérieures
Guide	5% du prix de l'excursion
Coiffeur (dames/messieurs)	15%

PRIX

Pour vous donner une idée du coût de la vie, voici quelques exemples de prix moyens, exprimés en livres turques (TL) ou en dollars selon les cas. Ces prix n'ont cependant qu'une valeur indicative en raison d'un taux d'inflation élevé.

Aéroports (transferts). *Istanbul:* taxi jusqu'au centre-ville 200 000 TL, autobus 15 000 TL. *Ankara:* taxi 200 000 TL, autobus 15 000 TL.

Autobus et autocars. Dans les villes, tarif unique 2500 TL. Istanbul–Izmir (aller simple): à partir de 80 000 TL; Edirnee–Istanbul: 40 000 TL.

Bains turcs. A partir de 17 000 TL.

Cigarettes. Marques turques de 4500–11000 TL le paquet de 20, importées 14 000 TL.

Hôtels (chambre pour deux personnes avec bains, petit déjeuner inclus). Luxe $200, 1re classe $130, 2e classe $90, 3e classe $50, 4e classe $25.

Location de voitures (compagnies internationales, haute saison: de juillet à septembre). *Fiat 131:* 3 jours, kilométrage illimité 3 000 000 TL; 7 jours, kilométrage illimité 5 580 000 TL. *Suzuki* (4 roues motrices): 3 jours, kilométrage illimité 4 350 000 TL; 7 jours, kilométrage illimité 8 750 000 TL. Assurance non comprise et TVA en sus de 20%..

Musées. De 5 000 à 10 000 TL.

Repas et boissons. Petit déjeuner dans un hôtel 20 000–60 000 TL, déjeuner/dîner dans un bon établissement (table d'hôte) 50 000–130 000 TL, vin (la bouteille) 20 000 TL, café turc à partir de 5000 TL, bière (la petite bouteille) de 4000 à 9000 TL , boissons sans alcool (la petite bouteille) à partir de 4500 TL.

R   RESTAURANTS (voir aussi pp. 156–158)

Il existe plusieurs types de restaurants. Ainsi, les *lokanta* proposent dans certains cas, outre des mets turcs, un menu à prix fixe, ou un menu touristique comportant des plats étrangers. Les *kebapçı* sont spécialisés dans la viande grillée, accordant la vedette aux kebabs, servis avec *pide* (pain sans levain) et riz; pour la boisson, le choix est limité, mais il est possible d'envoyer quelqu'un chercher de la bière. Les pizzerias à la mode locale *(pide salonu)* elles, servent des *pide* chauds à la viande ou au fromage, le tout avec de la salade verte – c'est bon et pas cher, et idéal pour un déjeuner sur le pouce.   Quant aux *köfte*, croquettes d'agneau souvent agrémentées de haricots verts en salade; tandis que, dans les *büfe*, vous trouverez des sandwichs, des hamburgers, parfois du *döner kebap*, ainsi que des boissons froides *(ayran,* etc.) exclusivement. Les *muhallebici*, eux, proposent du poulet bouilli, de la soupe au poulet et du pilaf, de même que des pâtisseries locales et de délicieux entremets. Enfin, les *tatlıcı* et les *pastahane* servent friandses et patisseries.

Les restaurants ne servent plus, en principe, à partir de 22 h ou 23 h, voire même 21 h en certains endroits.

S   SANTÉ et SOINS MÉDICAUX

Aucune vaccination n'est requise. Au besoin, souscrivez une assurance vous couvrant pour la durée de vos vacances en cas de maladie et d'accident.

Les grands hôtels disposent d'un médecin prêt à accourir au moindre appel. La qualité des soins est élevée mais, en raison des queues que connaissent les hôpitaux publics, mieux vaut, en cas de besoin, se rendre à l'hôpital français, au Taksim, derrière l'"Hôtel Divan (tél. 148 47 56/7). Précisons que beaucoup de médecins, ainsi que de dentistes et de pharmaciens, parlent une autre langue que le turc.

Afin d'éviter les maux d'estomac – le probleme le plus répandu parmi les touristes –, lavez et épluchez les fruits et les légumes, et ne vous laissez pas trop tenter par les spécialités (à l'exception des simit) proposées par les vendeurs ambulants. D'autre part, ne vous exposez qu'avec modération au soleil, à raison d'un quart d'heure seulement les deux premiers jours – et buvez abondamment.

Pharmacies. Signalées par leur enseigne (Eczane ou Eczanesi), elles sont ouvertes de 8 h à 20 h. En dehors de ces heures, l'adresse de la ou des pharmacies de garde figure en devanture; le N° 011 est également à même de vous renseigner à ce sujet. Comme il arrive que certains produits – même les plus courants, comme l'aspirine – fassent défaut, emportez tout médicament particulier dont vous pensez avoir besoin.

Où se trouve la pharmacie la plus proche?	**En yakın eczane nerededir?**
Où puis-je trouver un médecin/ dentiste?	**Nereden bir doktor/bir dişci bulabilirim?**
une ambulance/hôpital	**bir ambülans / hastane**
coup de soleil	**güneş yanığı / güneş çarptı**
de la fièvre/des maux d'estomac	**ateş / mide bozulması**

SAVOIR-VIVRE

Il n'est nullement besoin d'affecter une politesse guindée, même si une courtoisie à l'ancienne mode prévaut encore dans cette société assez formaliste, et une attitude réservée est le meilleur moyen de se faire des amis. Les citadiens sont, comme partout, plus décontractés que les habitants des petites localités; efforcez-vous donc de comprendre et d'admettre les différences de mentalité. Par exemple, les femmes se voient difficilement acceptées dans les cafés et les valeurs familiales sont toujours à l'honneur; de même, une tenue indécente créerait de l'hostilité à votre égard. D'autre part, si quelque chose ne va pas comme vous voulez, sachez que la colère et les éclats de voix seront moins efficaces qu'une tranquille insistance.

Du plus pauvre au plus riche, le Turcs traitent traditionellement les étrangers comme des hôtes de marque. Leur hospitalité est généreuse, spontanée et sincère. L'offre d'une cigarette, d'une tasse de thé ou de café se renouvellera probablement plusieurs fois par jour; acceptez donc sans façon et rendez la politesse.

Dans les mosquées, restez à distance respectueuse des gens en prière.

TOILETTES

T

Les grands hôtels sont équipés de commodités dernier cri et impeccablement tenues. En revanche, dans les installations les plus rudimentaires, la chasse d'eau n'est pas entièrement automatique et l'on doit remettre la poignée dans la position initale, ou fermer le robinet, afin d'éviter tout débordement.

Sauf dans les hôtels, les toilettes sont – c'est lieu de le dire – à la turque, avec une simple bidon en guise de chasse d'eau. Concession prévenante aux régles de l'hygiène, on trouve quelquefois un torchon et de l'eau de Cologne parfumé au citron.

Là où il existe des commodités séparées, la mention Bayan(lar) ou (Kadın(lar)) signale les toilettes pour les dames et l'inscription Bay(lar) ou Erkek(ler) les installations prévues pour les messieurs.

| *Où sont les toilettes?* | **Tuvaletler nerede?** |

TRANSPORTS

Autobus *(otobüs)*. Ils sont bon marché, mais souvent bondés. Pour circuler en ville, procurez-vous un carnet de tickets, puis, une fois à bord, introduisez votre titre de transport dans la boîte placée à côté du chauffeur. Si vous n'avez pas de ticket, probablement un autre passager vous dépannera-t-il en vous en revendant un. A Istanbul, il existe une *Mavi Kart* (carte bleue), délivrée dans les principaux terminus, qui permet de voyager librement en bus pendant trente jours à compter du premier de chaque mois. En déposant votre demande, vous devrez fournir une photo et présenter votre passeport; votre carte sera établie dans les quarante-huit heures.

Taxis *(taksi)*. Chaque voiture est équipée d'un compteur. Les chauffeurs ne parlant d'habitude que le turc, vous risquez d'avoir du mal à vous faire comprendre. Aussi, prenez la précaution de leur indiquer par écrit votre lieu de destination. Le pourboire est laissé à votre appréciation. (Voir aussi POURBOIRES.)

Dolmuş. Il s'agit de taxis collectifs, solution moyenne entre les taxis normaux et les bus. Nombre d'arrêts officiels sont signalés par un panneau marqué d'un D. Autrement, attendez qu'une auto – généralement une grosse américaine d'âge certain – ralentisse à votre hauteur; demandez Dolmuş?, puis, dans l'affirmative, indiquez votre destination. Ces véhicules suivent des itinéraires imposés, le long desquels ils vous déposeront où vous voudrez. Les *dolmuş* constituent un moyen de transport commode et peu cher.

Bacs. Depuis Eminönü, dans le vieil Istanbul, ils touchent les rives du Bosphore et de la Corne d'Or, assurant aussi la traversée jusqu'à Üsküdar, sur la côte asiatique. Pour les îles des Princes, ces bacs appareillent de Kabataş le matin de bonne heure, ensuite de Sirkeci. En ce qui concerne les services côtiers et les croisières, réservez vos places suffisamment à l'avance auprès des Lignes maritimes turques, qui ont une agence dans chaque port.

A Izmir, des bacs atteignent Karşıyaka, de l'autre côté de la baie: une traversée presque aussi rapide qu'une course en taxi.

Autocars. Un vaste réseau de lignes routières couvre l'ensemble de la Turquie; le car s'avère avantageux, efficace, plus rapide que le train (les véhicules modernes, climatisés, sont même très confortables). On se procure des billets dans les agences ou – c'est moins cher! – dans chaque gare routière (*otogar*). A Istanbul, cars et minicars partent de la gare routière centrale, Topkapı, situé dans un tout autre quartier). Cette gare comporte deux secteurs: Trakya Otogarı, affecté aux cars assurant les liaisons avec la Thrace, et Anadolu Otogarı, pour les véhicules à destination de l'Anatolie (ces derniers desservent une seconde gare routière, située à Harem, du côté asiatique).

Trains. Les Chemins de fer nationaux turcs (TCDD) mettent en circulation des trains confortables sur *certains* grands axes. Citons, parmi les meilleurs convois, le *Mavi Tren* (Train bleu), qui relie quotidiennement Istanbul et Ankara en 7 h 30, et le *Boğaziçi Ekspresi,* qui accomplit tous les jours également le même trajet en 9 h 30; le train est là moins rapide que le car. Autant que possible, tenez-vous-en aux *ekspres* ou aux *mototren*.

Sachez aussi qu'Istanbul possède deux gares: Sirkeci Garı (Europe), pour les trains partant en direction de l'ouest, et Haydarpaşa Garı (Asie), pour ceux qui partent vers l'est.

Avions. Les Lignes aériennes turques (THY) exploitent des services réguliers entre Istanbul, Ankara, Izmir et Antalya, ainsi qu'entre diverses villes du Nord et de l'Est: Trabzon (Trébizonde), Erzurum, Van. Les tarifs sont bon marché, et les THY offrent d'intéressantes réductions aux familles, aux enfants, aux groupes de sportifs et aux étudiants sur leurs vols intérieurs et internationaux. Les enfants âgés de 2 à 12 ans bénéficient d'une réduction de 50%, les enfants de moins de 2 ans voyagent gratuitement.

TURQUIE CENTRALE ET DE L'OUEST

KARA DENİZ
(MER NOIRE)

GEORGIE

N

Hopa

Ardahan

Artuin

Şavşat

Trabzon

Rize

Oltu Çay

Kars

Meryemana
(Sumela)

Çoruh Nehri

Sarıkamış

Tortum

Kelkit Çayı

Pasinler

Horasan

Aşkale

Erzurum

Ağrı

Büyük Ağrı
5156

Erzincan

Fırat Nehri

Tanyeri

Çato

Tutak

Doğubayazıt

Peri Suyu

Çaldıran

Tunceli

Bingöl

Murat Nehri

Erciş

Keban
Barajı

Muradiye

Elâzığ

Muş

Van
Gölü

Van

Tatvan

Ergani

Silvan

Siirt

Gevaş

Nemrut
Dağı

Diyarbakır

Batman

Botan Çayı

Fırat Nehri

Siverek

Dicle Nehri

Şırnak

Midyat

Cizre

Mardin

Nusaybin

Şanlıurfa

Altınbaşak

Tigris

IRAK

S Y R I E

0   100 km

TURQUIE DE L'EST

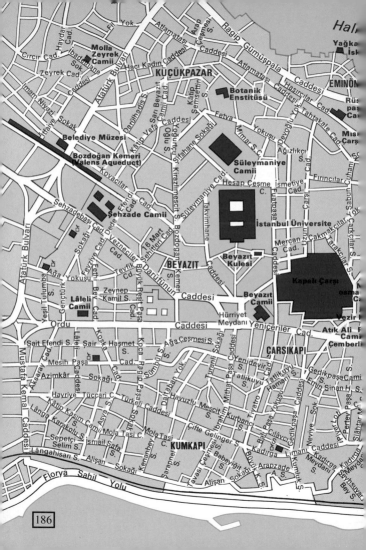

(Corne d'Or)

Üsküdar-Sirkeci İskelesi

Atatürk Heykeli

Sirkeci İstasyon Caddesi

Yeni
ami
e Turhan Sultan
si
Valide Sultan
Hatice Çeşmesi

Hamidiye
Muradiye
Cad.

Sirkeci
Garı

Gotlar Sütunu

tan
mii
esi

İstasyon Arkası
S. S.

Caddesi Cad.

Darüşşafaka

Daye Hatun S.

Nöbethane Cad.

k
anesi

Hükümetkonağı Cad.

Ebussuut Caddesi

Gülhane
Parkı

Topkapı
Sarayı

ereke
Cemal Nadir
S.

Ankara

Caddesi

Çinili Köşkü

Şark Eserleri
Müzesi

Arkeoloji
Müzesi

Türk Ocağı
C.

Alay Köşkü

mut Paşa
ii

Babıali Caddesi

Hilâl-i Ahmer

Beşir Ağa
Camii

İmran Öktem C.

Efendi
s

Zeynep Sultan
Camii

Ahmet

Florya Sahil Yolu

Aya Irene

Gülhane
Parkı

kan
mut
esi

Çatalçeşme

Yerebatan
Sarayı

Hilali Ahmer C.

Ayasofya

Sultanahmet
Çeşmesi

an

Yolu

Divanyolu

Alemdar Caddesi

Binbirdirek
Dörtmci

Firuz Ağa Camii

Fereri C.

Peykhane C.

Piyerloti Caddesi

Paşa Sok.

Alman Çeşmesi

Türk ve
İslam
Eserleri
Müzesi

Dikilitaş

İlanlı Sütun
me Sütun

Sultanahmet
Camii

N

Mehmet

At Meydanı

Ayasofya C.

Kabasakal

Kaçağınaçhnem

İbrahim S.

Akbıyık Caddesi

Utangan C.

Çankurtaran C.

(Kennedy Caddesi)

0   100   200 m

eci S
üçük
yasofya
mii

Aksakal

Küçük

Mustafa Paşa S.

Mozaik
Müzesi

SULTANAHMET

Florya Sahil Yolu

ISTANBUL
(vieille ville)

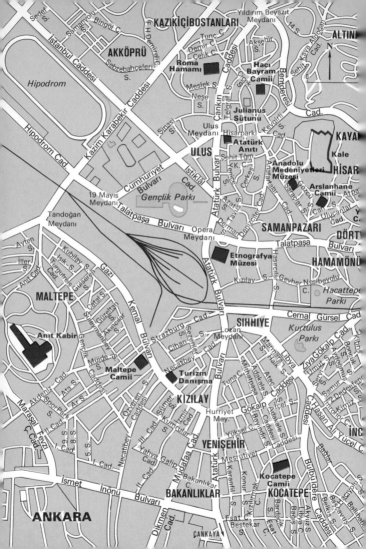

INDEX

Les numéros suivis d'un astérisque (*) renvoient à une carte. Les folios en **mi-gras** donnent la référence principale du nom auquel ile se rapportent. Le sommaire des *Informations pratiques,* enfin, figure en pages 160–161 de ce guide.

049/402 MUD